Hope Tarr a obtenu son master de psychologie ainsi qu'un doctorat en sciences de l'éducation avant de se rendre à l'évidence : analyser les gens ou enseigner ne l'intéressait pas. Ce qu'elle voulait plus que tout, c'était écrire ! À ce jour, Hope, auteure américaine aux nombreuses récompenses, a écrit une vingtaine de romances contemporaines et historiques.

Ce livre est également disponible
au format numérique

www.milady.fr

Hope Tarr

Opération Cendrillon

Contes de filles – 1

Traduit de l'anglais (États-Unis) par Lauriane Crettenand

Milady Romance

Milady est un label des éditions Bragelonne

Publié avec l'accord d'Entangled Publishing (Colorado, USA)

ISBN : 978-2-8112-1277-3

Bragelonne – Milady
60-62, rue d'Hauteville – 75010 Paris

E-mail : info@milady.fr
Site Internet : www.milady.fr

À mes deux bonnes fées, j'ai nommé mes agents,
Lori Perkins et Louise Fury.
Merci de m'avoir redonné la foi…

Remerciements

À ma famille et à mes amis pour leur amour, leur humour et leur soutien inébranlables, et notamment à mon partenaire, Raj Moorjani, ainsi qu'à mon amie et collègue, Mary Rodgers ; à ma merveilleuse agent littéraire, Louise Fury, pour son aide, sa positivité et son amitié inaltérables ; et à mon éditrice, Stacy Cantor Abrams, ainsi qu'à son équipe talentueuse, avec qui il a été si agréable de travailler.

Il était une fois dans un pays lointain une forêt d'acier
et de béton connue sous le nom de Manhattan…

Prologue

Quartier d'East Village, Manhattan, octobre

— On se calme, j'arrive !

Macie Graham fut tirée de sa douche par son interphone, qui beuglait incessamment. *Punaise, ils ont fait vite !* Cela faisait deux ans qu'elle commandait chez *Thaï Break*, d'abord parce qu'elle avait été attirée par le nom amusant de la boutique, puis parce qu'ils se trompaient plus rarement dans sa commande que les autres bouges de St Mark. Bonus : le restaurant n'était qu'à quelques rues de son appartement. Cela dit, c'était la première fois que le livreur mettait moins de quinze minutes à venir chez elle en vélo. Le type devait être un véritable Lance Armstrong. Impressionnant. L'interphone laissa échapper un autre hurlement strident.

Cela devenait pénible. Elle attrapa son peignoir et, toujours dans sa salle de bains inondée de buée, elle cria :

— Ça va, j'arrive !

Ce qui était totalement stupide, car elle ne faisait que parler aux murs. Toutefois, en comparaison de toutes les choses stupides ou atroces qu'elle avait faites pendant un mois et demi, se parler à elle-même était bien insignifiant.

Elle enroula une serviette autour de ses cheveux mouillés et traversa le salon en courant. La pièce était presque vide : il n'y avait là qu'un matelas gonflable, une valise et les bols de son chat, Stevie. Mis à part quelques cartons dans sa chambre, le reste de ses affaires était dans un garde-meubles…, dans les limbes, comme le reste de sa vie.

Elle atteignit la porte de son appartement, qui ne serait plus le sien à compter du lendemain, et appuya sur le bouton de l'interphone.

— Désolée, j'étais sous la…

— MJ ou Macie, quel que soit ton nom ces jours-ci, je sais que tu es là. Laisse-moi entrer ! Maintenant !

La voix de Ross, emplie de colère, s'éleva dans le haut-parleur.

Merde, merde, merde !

Macie s'écarta de l'interphone et plaqua son dos trempé contre la porte fermée à double tour, submergée alternativement par le choc, l'euphorie, puis la peur. Ross. Que faisait-il ici ? Comment l'avait-il trouvée ? Et, à présent qu'il était là, comment le convaincre de partir ?

— Macie, ça ne sert à rien de faire semblant. J'ai parlé à Francesca. Elle m'a tout dit.

À la mention de l'ex-femme de Ross, chaque pore du corps de Macie sembla se dilater, trempant son peignoir en tissu éponge. Elle avala le trop-plein de salive qui s'était accumulé dans sa bouche et inspira goulûment de grandes gorgées d'air.

C'est donc ça, une crise de panique. Je me suis toujours demandé. Je ferai peut-être un sujet dessus un jour. Enfin… si je survis.

Elle ferma les yeux et se concentra sur sa respiration. Elle avait du mal à croire qu'elle était passée, en six petites semaines, du statut de rédactrice pour le magazine *On Top*, l'un des journaux féminins les plus branchés et tendance, à celui de fugitive traquée se terrant dans son appartement.

— Macie, je sais que tu es là.

La voix de Ross, furieuse mais lasse, la ramena au présent et à sa folie. Il était temps d'être une grande fille et d'affronter les conséquences de ses actes… Elle espérait simplement que celles-ci n'impliqueraient ni sirènes de police ni harpes d'angelots.

— Fais-moi entrer et écoute-moi. Tu me dois bien ça.

Macie déglutit péniblement et rouvrit les yeux. Il avait raison. Elle le lui devait bien. Elle lui devait même bien plus.

Elle se retourna et tendit une main tremblante pour déverrouiller la porte de l'immeuble.

Chapitre premier

Bureaux du magazine On Top, quartier de Midtown, Manhattan, six semaines plus tôt

— Graham, ton cul dans mon bureau dans dix minutes. Dix minutes, compris ?

Malgré le grésillement des parasites de l'interphone, la voix furieuse de Starr se répercuta contre les murs du bureau de Macie, couverts d'agrandissements de couvertures de magazines.

Macie ouvrit la bouche pour répondre, mais la ligne se coupa net. La directrice de la rédaction venait de lui raccrocher au nez. Devait-elle s'attendre à recevoir une lettre de licenciement ?

Macie ouvrit un tiroir de son bureau, à la recherche de quelque chose pour tuer la migraine qui lui fendait le crâne, revers des trop nombreux Dirty Martini qu'elle avait bus la veille au soir et de la mauvaise surprise du matin : la dernière décision éditoriale gonflée qu'elle avait prise lui avait explosé au visage. Pas d'aspirine : c'était bien sa chance. Toutefois, elle trouva une petite bouteille de Pepto-Bismol. Elle faillit se casser un ongle en ouvrant le bouchon sécurisé, puis, une fois qu'elle l'eut enlevé, elle porta la bouteille à ses lèvres et avala l'apaisante concoction rose bonbon.

Elle reposa l'antiacide et se tourna vers son écran d'ordinateur, secouée par une vague de dégoût.

— Espèce d'enfoiré !

L'enfoiré, le chroniqueur radio et très conservateur Ross Mannon, lui sourit dans le cadre de la vidéo qu'elle avait mise sur pause. Si l'on considérait ses courts cheveux blonds, ses traits ciselés et ses yeux d'un bleu céruléen, il ne fallait pas beaucoup d'imagination pour comprendre pourquoi une journaliste féminine du *Newsweek* l'avait qualifié de « Robert Redford de la droite ». Le sociologue texan avait fait les gros titres l'année précédente grâce à la publication d'une étude montrant la forte corrélation entre les heures que passaient les adolescents américains sur Internet et leur probabilité à se livrer à des attitudes à haut risque, y compris à avoir des rapports sexuels non protégés. Les médias conservateurs s'étaient jetés sur les conclusions de l'étude comme des sangsues affamées sur une banque de sang de la Croix-Rouge. En une semaine, le « docteur Ross » avait été invité dans de nombreuses émissions télévisées, où il dénonçait « la culture de l'éducation à temps partiel basée sur le déni et un discours hypocrite politiquement correct ». Six mois auparavant, il avait créé sa propre émission de radio quotidienne, diffusée depuis Washington. Depuis, trois cents stations de radio à travers tout le pays avaient intégré *L'heure de Ross Mannon* à leur programmation, et le site Internet de l'émission comptait environ cent mille visites par jour.

Jusque-là, Macie avait laissé Mannon tranquille. *On Top* avait beau faire des numéros plutôt francs – bon d'accord, carrément provocants –, s'en prendre au dernier messie conservateur des médias aurait été une manœuvre stupide.

Mais Mannon avait mis fin à leur coexistence paisible. Il avait mis la main sur un exemplaire du dernier numéro d'*On Top*, repéré l'article de Macie sur le nombre croissant de parents choisissant d'éviter les grossesses non désirées en faisant prendre la pilule à leurs filles avant même qu'elles aient des rapports (« Oubliez les contes de fées : le sexe chez les ados n'est pas une fiction mais la réalité ») et fait du magazine sa cible du *Coup de Gueule de Ross* du jour. Il avait terminé sa chronique en donnant l'adresse postale du siège d'*On Top*, l'adresse mail du magazine ainsi que son numéro de téléphone gratuit, invitant ses auditeurs à se faire entendre. En quelques minutes, le serveur informatique du magazine, surchargé, était tombé en panne, et le standard s'était illuminé comme un panneau lumineux de Times Square.

Les appels, certains simplement hostiles et d'autres carrément dérangés, avaient été accompagnés de nombreux mails adressés aux « personnes responsables » et condamnant l'article de Macie. Elle ne s'en était pas souciée. Le lectorat d'*On Top* et le public radiophonique de Ross Mannon étaient diamétralement opposés, deux espèces différentes de consommateurs de divertissement et d'actualité. Seulement, le problème venait d'ailleurs : la marque Beauté, fabricant de produits capillaires haut de gamme ciblant les adolescents, qui représentait une part majeure des recettes publicitaires du journal, avait demandé à mettre fin à leur partenariat, invoquant la clause morale du contrat et son inquiétude quant à son image.

Elle cliqua sur sa souris pour agrandir la vidéo. La tête blonde et les larges épaules de Mannon remplirent son écran, et, l'espace de quelques secondes de folie, elle oublia qu'elle était censée le détester. Au-delà de son apparence, cependant, il y avait une étrange lueur dans ses yeux, une étincelle évoquant des contes de fées depuis longtemps oubliés, parlant de beaux chevaliers, de princes capables de vous ramener à la vie d'un seul baiser, de l'amour éternel, du grand amour, celui qui durait plus longtemps qu'un week-end érotique et était plus puissant qu'un coup d'un soir. Si l'on mettait de côté que tout cela n'existait pas.

Tant de perfection devait être un écran de fumée, une façade. Les hommes aussi irréprochables que Mannon étaient toujours bien différents en privé. Il était trop séduisant pour mener la vie bien rangée d'un prince charmant contemporain. Sur son site Internet, sa biographie, qui se résumait à une poignée d'anecdotes banales, déclenchait en elle un signal d'alarme. Né et élevé à Paris, au Texas. Une bourse sportive en football américain pour entrer à l'université de North Texas, où il avait finalement obtenu un doctorat. Une fille, Samantha, mais aucune allusion à une femme, ce qui voulait certainement dire qu'il était divorcé. *Hypocrite!* En cherchant un peu, elle révélerait, le crapaud qui se cachait derrière le beau prince. Si elle avait l'occasion et l'accès, elle exploserait la couverture de Mannon. Elle en avait la certitude.

Tout n'était qu'une question d'accès.

Elle tira sur ses longs cheveux lisses et teints, couleur noir de jais, et cliqua sur le bouton « Play » pour reprendre la vidéo là où elle l'avait laissée.

La voix grave de Mannon à l'accent traînant de Texan résonna dans ses enceintes.

« Mes amis, d'ordinaire je ne parle pas de choses personnelles à l'antenne, mais je vais faire une exception. Il semblerait que ma fille de quinze ans, Samantha, va vivre avec moi vingt-quatre heures sur vingt-quatre, sept jours sur sept dans l'avenir proche, et, en vérité, je ne suis pas très bon cuisinier ni doué pour le ménage… »

La vérité. Ha! *Je suis prête à parier que vous n'admettriez pas la vérité si elle vous mordait le cul.*

« Mais ma Sam a d'autres besoins, elle n'a pas seulement besoin qu'on la conduise à l'école ou à ses activités, et, croyez-moi, son emploi du temps est plus rempli que celui du président. Elle a besoin d'un modèle, d'une femme qui incarne les valeurs dont nous parlons dans cette émission. »

Macie réprima un haut-le-cœur. Pauvre petite ! Sans l'avoir vue, elle ressentit une affinité avec la fille de Mannon, dont la situation lui rappelait sinistrement sa propre enfance. Ce n'avait pas été facile d'être un esprit libre aussi précoce. Quand on naissait dans une famille dont la conception de l'éducation était synonyme d'étouffement constant de toute pensée indépendante, s'agripper à son amour-propre et à son bon sens était une bataille de tous les instants.

« Lundi dernier, poursuivait Mannon, j'ai passé une annonce dans le *Washington Times*. "Recherche femme avec valeurs traditionnelles pour un poste à domicile de gouvernante, nourrice, et modèle féminin pour jeune fille précoce de quinze ans. Salaire et avantages à discuter ; garanties solides." Une telle annonce semble assez claire quant au genre de personne que je recherche, et pourtant me croirez-vous si je vous dis que j'ai rencontré une dizaine de candidates cette semaine et que la dernière à se présenter avait les cheveux verts et un piercing au nez ? »

Macie passa sa main sur son ventre pour sentir sous son pull angora blanc le petit anneau en or passé dans son nombril et écouta la suite.

« Bon, j'arrête de parler de mes problèmes familiaux. Cette émission est avant tout à propos de vous. Si vous nous écoutez et que vous souhaitez que j'aborde un sujet en particulier lors d'un prochain *Coup de Gueule*, envoyez-moi un mail avec "Coup de Gueule" en objet. Je vous rappelle mon adresse : r-o-s-s arobase r-o-s-s-m-a-n-n-o-n point com. »

Les yeux rivés sur l'écran, Macie avait la sensation que de la vapeur lui sortait des oreilles. C'était malin, ou plutôt sournois, de demander à ses auditeurs de trouver le sujet de ses prochaines émissions. *Feignasse !*

Elle avait le majeur en l'air quand elle eut une idée de génie. Ce n'était franchement qu'une question d'accès ! Mannon venait de lui donner les clés de son royaume.

Avec une montée d'adrénaline, elle sortit du réseau local d'On Top et se connecta sur son compte personnel. Elle tapa l'adresse de Mannon dans la ligne destinataire. C'était la partie facile : créer un message était plus épineux. S'en tenant au principe KISS (« Keep It Simple, Stupid ») visant à ne pas compliquer les choses, elle tapa quelques phrases simples procurant les informations nécessaires avec juste ce qu'il fallait pour l'appâter. Elle relut son texte une dernière fois, cliqua sur « Envoyer » et regarda l'horloge murale. 16 h 28. Il lui restait deux minutes. Bon sang, que je suis douée !

Elle fourra ses pieds dans ses Jimmy Choo à semelles compensées, attrapa son iPhone et se leva. Elle sortit dans le couloir éclairé par les néons et ferma la porte du bureau derrière elle.

Les contes de fées étaient pour les enfants. Révéler la véritable identité de crapaud d'un soi-disant prince était bien plus excitant !

Complexe Watergate, nord-est de Washington D.C.

— Sam, je suis rentré.

Ross Mannon pénétra dans l'entrée de l'appartement et ferma la porte derrière lui. Il n'avait pas l'habitude de rentrer à 17 heures, mais ce n'était pas un jour comme les autres.

Il n'eut pas de réponse, non pas qu'il se soit attendu au contraire, mais le sac à dos jeté à côté de la porte indiquait que Samantha était là. Pourtant, l'appartement était si tranquille que même la craquelure d'un glaçon aurait semblé assourdissante. Et cette image n'était pas loin de la vérité : sa fille était glaciale avec lui.

Il laissa tomber ses clés sur la table en marbre de l'entrée et remonta le couloir à la moquette beige jusqu'à la chambre de Samantha, lieu de son dernier coup de filet parental. Sans surprise, la porte était fermée. Il dut frapper quatre fois avec force pour qu'elle cède enfin et daigne lui répondre.

Elle entrouvrit à peine la porte, juste assez pour qu'il aperçoive un œil larmoyant et un nez rose. Merde, elle avait pleuré ! *Décernez-moi le prix du Père de l'Année… ou pas !*

— Qu'est-ce que tu veux encore ?

Il inspira profondément et se rappela que c'était lui l'adulte.

— Il faut qu'on parle, toi et moi.

La porte s'ouvrit un peu plus, révélant une bouche pincée et l'éclat du fil blanc des écouteurs de son iPod.

— J'ai pas envie.

— Envie ou pas, nous allons régler le problème une bonne fois pour toutes. Viens dans mon bureau dans cinq minutes ou tu es punie pour toute la semaine.

Elle recula et lui claqua pratiquement la porte au nez.

Lui qui voulait repartir sur de bonnes bases… Se sentant aussi épuisé que s'il avait affronté Rita Mae Brown, Ross gagna son bureau, son sanctuaire dans un appartement qui autrement semblait trop immense, trop moderne, trop lisse et trop beige pour lui convenir. Voilà ce qui arrivait quand on engageait une décoratrice d'intérieur. Au moins, il était resté sur ses positions et ne l'avait pas laissée approcher de son bureau. Le style colonial des meubles, les couleurs chaudes, le tapis navajo… Tout lui ressemblait dans cette pièce. De même que ses livres, des éditions reliées en cuir de classiques de la littérature américaine, de Nathaniel Hawthorne à Arthur Miller en passant par Mark Twain, qu'il avait tous fait venir de son ranch texan. Après six mois passés à la ville, il avait encore l'impression d'être chez lui dans ce bureau.

Le mal du pays le prit soudain. Déterminé à l'ignorer, il passa derrière le bureau, sortit son ordinateur et l'alluma. Il se connecta et parcourut sa boîte de réception en attendant Sam. Mentalement, il se promit que, contrairement à ce matin-là lors de l'incident concernant le magazine, il ne perdrait pas son sang-froid. Si sa fille était en colère, qu'elle soit en colère. Toute émotion, même la rage, était préférable au silence qu'elle adoptait la plupart du temps.

Un soupir lui fit lever la tête en direction de la porte. Sam se tenait sur le seuil, un pied dans le couloir, comme si elle planifiait déjà sa fuite.

Il considéra ses cheveux hérissés, son tee-shirt court dévoilant son ventre et son jean taille basse, et sentit son amour-propre parental couler comme le *Titanic*. Où était passée sa petite fille ? Qui était cette étrangère renfrognée et avachie ? Ses yeux bleus emplis de colère, bordés d'un épais trait d'eye-liner noir, le ramenèrent un mois en arrière, quand elle s'était pointée dans le hall de son immeuble du Watergate à plus de minuit, un sac à dos sur l'épaule, son mascara coulant sur ses joues comme des ruisseaux de boue.

« Je ne retourne pas chez maman, et tu ne peux pas m'y obliger » furent les premiers mots qu'elle avait prononcés, le menton (qu'elle tenait de sa mère) en avant, l'air fier.

Il n'avait pas su quoi faire : l'engueuler et lui interdire de lui parler sur ce ton, ou la prendre dans ses bras parce qu'après tout elle était saine et sauve, et ne gisait pas, sans vie, dans un vide-ordures. Il avait opté pour le câlin, s'était excusé auprès du concierge, puis avait fait monter Samantha dans son appartement. Dès qu'il avait refermé la porte derrière eux, elle avait perdu toute contenance et s'était effondrée.

— Oh, papa !... avait-elle soufflé de sa voix de petite fille dont il se souvenait si bien, la voix qui non seulement jouait sur sa corde sensible, mais menaçait de le faire craquer.

Il avait alors eu la certitude que Samantha ne jouait pas la comédie. Pour qu'elle fugue, quelque chose de grave avait dû se passer à New York.

Au moment où il avait senti qu'elle était sur le point de se confier à lui, son BlackBerry avait beuglé les premières mesures du titre de Madonna, *Material Girl*, la sonnerie qu'il avait attribuée à son ex-femme, Francesca.

Sam s'était refermée comme une huître. En sanglots, elle avait foncé droit vers la chambre d'appoint, qui lui était réservée quand elle venait chez lui.

Conscient que sa chance était passée, Ross avait décroché.

— Frannie, écoute. Sam est ici. Elle va bien.

Il avait passé les trente minutes suivantes à la calmer tout en essayant de savoir ce qui s'était passé. Seulement, Frannie n'en avait pas la moindre idée, ce qui le terrifiait. Jusque-là, son ex avait été le parent cool, la confidente, à mi-chemin entre la meilleure amie et la grande sœur. Si elle ignorait la raison de sa fugue, c'est que, quoi qu'il se soit passé, c'était grave. Lorsqu'il avait apprit que Sam avait volé un bracelet sans valeur quelques semaines auparavant, il avait été estomaqué.

— Comment est-ce possible ? avait-il demandé. Et pourquoi ne me le dis-tu que maintenant ?

— Pas d'interrogatoire, Ross, avait répliqué Frannie, en passe de perdre son légendaire sang-froid britannique. Je sais que tu penses que je suis une mauvaise mère, mais…

— Ce n'est pas vrai.

Frannie n'était pas l'archétype de la mère parfaite, c'était certain, mais elle aimait Sam de tout son cœur. Il désapprouvait peut-être ses voyages et ses horaires insensés, mais c'était une bonne mère. Et un enfant, notamment une fille, avait besoin de sa mère, raison pour laquelle il ne s'était pas battu pour la garde alternée, se contentant de voir Sam pendant l'été et les vacances scolaires.

Il avait inspiré profondément et baissé la voix.

— Écoute, quoi que Samantha ait vécu de si terrible, c'était à New York, et il est évident qu'elle considère Washington et mon appartement comme un refuge, pour l'instant du moins. Laisse-moi la calmer, l'inscrire à l'école ici, et on voit comment ça se passe. Avant que tu m'appelles, elle était sur le point de se confier à moi. Je le sentais.

Cette dernière remarque avait convaincu Francesca. Au final, ils s'étaient mis d'accord pour qu'il garde Sam avec lui, mais seulement jusqu'aux vacances d'hiver. En attendant, il avait du pain sur la planche. Cela faisait des années qu'il n'avait pas été parent à plein-temps. Ni à temps partiel, d'ailleurs. Malgré cela, il avait toujours pensé qu'il entretenait une relation solide avec sa fille. En la regardant à présent, il admit qu'il s'était fait des illusions.

La connaissait-il vraiment ? Qu'aimait-elle ? Qui étaient ses amis ? Quels étaient ses projets pour l'avenir, ses rêves ? En avait-elle seulement ? Davantage que ses vêtements exclusivement noirs et son piercing à la langue, c'était l'expression morte et morne de son regard qui l'inquiétait. L'été précédent, elle avait semblé si enthousiaste, si… heureuse.

— Pourquoi tu me regardes bizarre ? demanda Samantha, le ramenant au présent. Si t'as un truc à me dire, dis-le.

— Très bien.

Il s'éclaircit la voix, se préparant à aborder le proverbial éléphant dans le magasin de porcelaine : le magazine confisqué. Ne se sentant pas encore capable de se lancer, il entama la conversation différemment.

— D'abord, je veux que tu saches que j'essaie de trouver quelqu'un pour nous aider à la maison. Tu sais, pour faire le ménage, cuisiner et te conduire à l'école ou ailleurs pour que tu ne sois pas coincée ici quand je suis pris au studio.

Quelqu'un pour te surveiller quand je ne peux pas. Quelqu'un, une femme, qui m'aidera à comprendre ce qui t'arrive avant qu'il soit trop tard.

Elle plissa les yeux.

— Ce n'est pas ce que Mme Alvarez fait ?

— Si, en quelque sorte. Sauf que Mme A. ne conduit pas.

Et elle n'était pas assez jeune ni assez cool pour que Sam la considère autrement que comme une figure d'autorité.

Sam se redressa brusquement.

— Alors tu l'as virée !

Ross se raidit. Pourquoi semblait-elle si déterminée à le voir comme un ennemi ? Puisant dans ce qui lui restait de patience, il expliqua :

— Non. Mme A. m'a demandé un congé pour s'occuper de son petit-fils qui vient de naître. Je lui ai dit qu'elle pouvait revenir quand elle voulait.

C'était la vérité, et pourtant, à en juger par son expression, Sam n'y croyait pas. Elle fit la moue et se passa une main dans les cheveux, ses ongles peints en noir rongés jusqu'au sang.

— Comme nous avons une chambre en plus, je me suis dit que ce serait plus facile d'avoir quelqu'un sur place plutôt que quelqu'un qui fasse la navette, ajouta-t-il.

Quoi qu'il ait dit, elle explosa de rage.

— Quelqu'un va vivre ici avec nous ! hurla-t-elle, ses yeux lançant des éclairs. Elle aussi, elle va fouiller ma chambre ?

L'éléphant arrivait donc enfin sur le tapis – ou dans le magasin de porcelaine.

— Chérie, je ne fouillais pas ta chambre. Comme tu n'ouvrais pas la porte après que j'ai frappé, je pensais que tu n'avais pas entendu le réveil. Je ne voulais pas que tu sois en retard pour l'école.

En retard pour l'école, mon cul. Il avait eu peur qu'elle se soit fait du mal. Ce n'était probablement que de la paranoïa, mais elle avait été si déprimée et secrète qu'il ne savait pas à quoi s'attendre. En entendant la douche dans la pièce adjacente, il avait soupiré, soulagé. Elle était simplement en retard. Il avait fait demi-tour pour partir quand l'exemplaire ouvert d'*On Top* sur la table de chevet avait attiré son attention. Le titre de l'article, « Oubliez les contes de fées : le sexe chez les ados n'est pas une fiction mais la réalité », avait retenu son attention, mais c'était le sous-titre qui lui avait fait voir rouge : « Parents, préparez intelligemment votre fille : préservatifs, pilule... »

En regardant ces grands caractères noirs sur papier glacé, Ross avait eu l'impression d'être frappé par la foudre et de recevoir un coup de poing au ventre en même temps, le tout au ralenti : terrifiant. Le temps s'était suspendu. Il avait retenu son souffle. Tout s'était arrêté, sauf la peur. Sam songeait-elle à avoir des rapports, en avait-elle déjà ? Et si elle avait déjà des relations sexuelles, se protégeait-elle ? Et de quelle façon : préservatifs, pilule, les deux, aucun des deux ? Si la réponse à l'une de ces questions était « oui », c'était qu'il arrivait très tard, peut-être même... trop tard ?

Mais comment était-ce possible ? Son bébé n'avait que quinze ans ! Jamais il n'avait connu de prise de conscience aussi violente ou blessante. Sans s'en rendre compte, il était devenu l'un de ces parents contre lesquels il pestait dans son émission, si égoïstement pris par leurs propres vies qu'ils n'avaient aucune idée de qui était leur enfant. Dorénavant, il était l'un d'eux, membre d'une tribu vivant dans le déni. Il était un Rip Van Winkle moderne, tandis que sa fille se faisait empoisonner par des messages culturels toxiques. Il avait ressenti le besoin d'évacuer la rage qu'il ressentait, et elle n'avait eu qu'un exutoire. Il avait ramassé le magazine, l'avait roulé et fourré sous son bras.

—Quand j'ai vu cette... *(Feuille de chou, espèce de ramassis de conneries!)* publication, j'ai... *(réagi de manière excessive? Bon, j'ai flippé.)* Je me suis inquiété. Ce n'est pas le genre de choses auquel tu devrais être exposée à ton âge.

Ni à aucun autre moment, voulut-il ajouter, mais il était conscient qu'il ne pourrait pas la protéger indéfiniment. Néanmoins, il pouvait encore faire valoir les trois ans de droits parentaux légalement à sa disposition.

Elle croisa les bras d'un air de défi.

—C'est moi qui décide.

Ross baissa les yeux vers la dernière « décision » de sa fille: un anneau en or au nombril, et sentit son âme se craqueler davantage.

—Non, ma chérie. J'ai bien peur que ça ne marche pas comme ça. Tant que tu n'auras pas dix-huit ans, ta mère et moi sommes responsables de toi.

Elle laissa échapper un ricanement, dont le cynisme lui brisa le cœur.

—C'est marrant, maman n'a jamais censuré mes lectures. Ni mon accès Internet, ajouta-t-elle, faisant référence aux contrôles parentaux qu'il avait activés quelques heures à peine après son arrivée.

Elle aurait peut-être dû, pensa-t-il, mais la loyauté et un sentiment plus profond encore le retinrent de le dire à haute voix. Frannie avait assumé la responsabilité d'élever Sam pendant dix ans. Critiquer sa permissivité alors qu'elle n'était pas là pour se défendre ne serait pas juste envers elle ni envers Sam.

— Tant que tu vivras sous mon toit, tu suivras mes règles, se contenta-t-il de dire.

Bon Dieu, il était passé du vieillot au vrai Paléolithique !

Les joues rouges, elle le défia du regard.

— Peut-être que je ne vais pas rester « sous ton toit » très longtemps.

Sa lèvre inférieure tremblait. Cela le ramena des années en arrière : quand elle était petite et qu'elle s'écorchait le genou ou cassait une poupée, elle courait dans ses bras pour qu'il arrange tout. À l'époque, il était son chevalier blanc, son héros. Si seulement il pouvait trouver un moyen de la secourir à présent.

— Écoute, Sam. Si quelque chose… ne va pas…, quoi que tu fasses, jamais ta mère et moi ne cesserons de t'aimer. Viens ici, ma puce.

Il se leva et tendit les bras vers elle, l'invitant à le rejoindre, ne serait-ce qu'à mi-chemin.

— Pas cette fois, papa.

Au bord des larmes, elle se retourna et se mit à courir, ses pieds nus martelant le sol du couloir, chacun de ses pas sourds lui faisant l'effet d'un coup de poing. Il laissa retomber ses bras le long de son corps.

Le bruit désormais familier de sa porte qui claquait le fit battre en retraite dans son fauteuil en cuir. *Bien joué, Mannon ! Maintenant, elle te déteste vraiment.*

Il passa sa main sur son front avant de la plonger dans un tiroir de son bureau pour en sortir le magazine *On Top*. Il le parcourut, s'arrêtant sur l'article de couverture. Il l'avait déjà lu plusieurs fois, mais il ne pouvait s'empêcher d'y revenir. Tissé de citations d'interviews, de statistiques déformées et d'anecdotes encadrées en couleur, il n'était pas mal écrit, même si le message qu'il faisait passer était une pure connerie. « Oubliez les contes de fées... » Il secoua la tête et jura dans son souffle.

Comme si ce n'était pas assez compliqué d'être ado, les médias se sentaient obligés de répéter que l'homme parfait n'existait pas, et encore moins le prince charmant. Apparemment, tout ce que pouvait espérer une jeune femme était l'homme « parfait pour le moment », et les parents devaient s'attendre à ce que leurs filles en connaissent plusieurs avant d'atteindre vingt et un ans. Bon Dieu ! Les adolescents, garçons et filles, avaient besoin de comprendre que la promiscuité sexuelle avait des conséquences, des conséquences graves. Les préservatifs étaient importants pour la sécurité sexuelle, mais ils n'étaient pas infaillibles. Parfois ils se brisaient, comme leurs cœurs. Si Samantha avait des questions sur le sujet, il aimait à penser qu'elle les lui poserait ou, mieux encore, qu'elle les poserait à sa mère. Au lieu de cela, elle s'était tournée vers un magazine pour avoir des réponses. De mauvaises réponses.

Et qu'est-ce qui n'allait pas avec les contes de fées ? Il y avait cru… il était une fois.

Il jeta le magazine dans le tiroir, qu'il referma violemment. Si c'était le genre de conneries que Samantha lisait, pas étonnant qu'elle soit si pessimiste et déprimée. L'annonce qu'il venait de passer avait intérêt à trouver preneuse, et vite. Sinon, il devrait passer par une agence spécialisée, même s'il n'avait pas grand espoir de la trouver là, surtout à Washington, parce qu'il ne cherchait pas seulement une nounou, une gouvernante ou une cuisinière, mais un mélange magique des trois, et bien plus encore. Celle dont il avait besoin devrait être une bonne fée moderne, une femme qui soit non seulement assez jeune mais aussi assez cool pour s'entendre avec une adolescente de quinze ans désabusée, qui avait passé la majorité de ses jeunes années à Manhattan. Si elle était livrée avec une baguette magique, c'était d'autant mieux.

Un « dring » automatisé attira son attention sur son ordinateur. Il venait de recevoir un mail. Désireux d'en finir avec le travail pour la soirée, il cliqua sur la boîte de réception. L'objet, « Gentille aux valeurs traditionnelles », attira son regard et piqua sa curiosité. Un autre spam vantant les mérites de fiancées sur commande ? C'était probablement un courrier d'auditeur, même si la plupart n'étaient pas aussi créatifs dans leurs titres. Toutefois, il avait un peu de temps devant lui et ferait tout aussi bien de le lire.

Cher monsieur Mannon,

Voilà quelques années que je suis jeune fille au pair à Manhattan dans une famille auprès de deux adolescents. Mes employeurs déménagent à l'étranger dans le cadre d'une mission pour leur église, et, ayant appris dans votre émission de radio que vous cherchez une gouvernante pour votre fille, je souhaiterais discuter avec vous de la possibilité de venir travailler pour vous. J'ai un diplôme d'enseignante, obtenue à l'Université catholique d'Amérique et je serais heureuse de vous adresser mes références si vous le souhaitez.

P.-S. : J'ADORE votre émission !

Le message était signé Martha Gray Jane et incluait un numéro de téléphone précédé de l'indicatif téléphonique de Manhattan.

Ross passa une main dans ses cheveux et essaya de ne pas s'emballer, même si cette femme semblait prometteuse. Mince, elle semblait absolument parfaite ! Il relut le mail au cas où il aurait pris ses désirs pour des réalités au point de l'inventer de toutes pièces. Elle avait un diplôme dans l'enseignement. Elle avait de l'expérience avec les adolescents. Elle vivait à New York ! L'adresse à Manhattan serait un argument de poids pour Sam qui pensait que quiconque habitant plus loin que Jersey City était un péquenaud mâcheur de foin.

Et, pour couronner le tout, ses employeurs actuels étaient missionnaires. C'était exactement le genre d'influence saine et positive qu'il cherchait à insuffler dans la vie de sa fille.

Martha Jane Gray. Même son nom semblait le ramener à une époque plus douce, plus agréable. Il la considérait déjà comme l'équivalent de Julie Andrews dans *Mary Poppins* : ferme, calme…, magique.

Et pourtant, dans un monde regorgeant de cinglés, on ne pouvait être trop prudent, surtout quand il s'agissait d'accueillir quelqu'un chez soi. Il vérifierait ses références le lendemain à la première heure, à commencer par ses employeurs, les Swanson. Un autre coup de téléphone à son alma mater, l'Université catholique, et, en supposant qu'elle ait joué franc jeu, il la ferait venir à Washington pour un entretien en face à face. En présence de Sam. Mlle Gray avait beau sembler parfaite sur le papier, ce serait sa façon de se comporter avec Samantha qui compterait plus que tout.

Ross attrapa la souris. *Eh bien, mademoiselle Martha Jane, voyons ce que vous avez à dire sur vous !* Souriant pour la première fois de la journée, il cliqua sur l'icone « Répondre » et se mit à taper.

Il n'était peut-être pas temps d'oublier le conte de fées ni d'abandonner son rêve. Pas encore.

Chapitre 2

La réponse de Mannon atterrit dans la boîte de réception de Macie alors qu'elle pressait le pas pour se rendre à son rendez-vous avec Starr. Elle parcourut le mail sur son téléphone et retint un cri de joie. En plein dans le mille ! Non seulement le crapaud avait mordu à l'hameçon, mais Mannon avait tout avalé et lui demandait de lui envoyer son CV et ses références dès que possible. Il avait signé « Ross Mannon », pas « Docteur », mais Macie ne croyait pas une seconde à ce semblant d'humilité sans prétention.

À présent, elle devait vendre l'histoire à Starr. Elle avait l'impression de subir le supplice de la planche sur un bateau pirate en remontant le couloir jusqu'au bureau de sa patronne. Sur son passage, aucun de ses collègues ne la regarda dans les yeux, à part sa rédactrice adjointe, Terri, qui lui adressa un petit sourire et un signe d'encouragement. Quand elle frappa enfin à la porte fermée de Starr, elle était à deux doigts de ronger ses dix faux ongles.

La poignée chromée glissa dans sa paume, mais elle parvint à ouvrir la porte. Elle passa la tête à l'intérieur.

— Tu… euh… tu voulais me voir ?

Cynthia Starling, plus connue sous le nom de Starr, leva les yeux de la pile de dessins étalés sur son bureau en verre, un regard mauvais assombrissant ses traits de porcelaine.

— Le départ de ce publicitaire nous affecte gravement. Beauté est l'un de nos plus importants collaborateurs, ainsi que le plus ancien. Ils étaient avec nous depuis le premier jour. Développer un nouveau partenariat pour remplacer ces recettes ne va pas se faire du jour au lendemain. Vu les circonstances, ça ne se fera peut-être pas du tout.

Tout en rejetant ses boucles cuivrées en arrière, elle fit signe à Macie de s'approcher.

Le cœur battant, Macie ferma la porte et avança, les jambes flageolantes. Starr et elle étaient amies en dehors du travail, mais jusqu'à un certain point. Au bureau, son amie n'était que sa patronne et parlait strictement affaires.

— Je sais, et je…

— Assieds-toi et écoute-moi. J'ai passé la majorité de la journée à l'étage à me faire incendier de t'avoir donné le feu vert sur cet article sur la contraception adolescente.

Macie se prépara mentalement. Et voilà : ses cinq ans de loyaux services allaient voler en éclats.

Comme si elle lisait dans ses pensées, ou simplement sur son visage, Starr la rassura :

— Ne t'inquiète pas, tu gardes ton job. Mais d'autres appels de partenaires dans le genre et tu es au chômage, et moi aussi.

Alors elle était hors de danger… pour le moment. Fébrile mais soulagée, Macie se laissa tomber dans l'une des chaises modernes positionnées devant le bureau. Perchée sur le bord de la chaise en chrome froid, elle humecta ses lèvres sèches et se prépara à vendre son idée.

— Que dirais-tu si je te disais que je pense pouvoir faire un article qui sera si coup de poing et si excellent que Beauté nous rappellera en nous suppliant de leur rendre leur espace publicitaire ?

Derrière ses lunettes rondes à la John Lennon, les yeux de Starr s'illuminèrent.

— Je t'écoute.

Macie redressa ses épaules pour ne pas s'avachir comme elle le faisait trop souvent.

— Je pense à un profil de célébrité, avec du mordant et des indiscrétions, avec une série d'anecdotes à publier sur un blog pour entretenir le sujet. Quelque chose comme « Dix Raisons Pour Lesquelles Ce Mec Craint » avec des publications chaque jour montant en puissance jusqu'à la grande révélation. Nous pourrions y ajouter un sondage aussi, pour renforcer l'implication du lectorat.

Starr haussa un sourcil.

— On parle d'un grand nom ?

Macie inspira avant de lever le secret.

— Ross Mannon.

Starr écarquilla les yeux.

— La tête parlante conservatrice qui a transformé ma journée en enfer ?

— Lui-même.

Starr se réinstalla confortablement dans son fauteuil.

— Qu'est-ce qui te fait penser qu'il te parlera ?

Macie hésita, puis admit :

— Parce qu'il… euh… vient de répondre à mon mail.

Elle lui exposa l'essentiel de ce qu'elle considérait comme l'« Opération Cendrillon ».

Starr retira ses lunettes et se pinça l'arête du nez.

— Et tu crois qu'après avoir refusé une demi-douzaine de lectrices du *Washington Times,* il va t'ouvrir sa porte ? J'ai vu ton appartement, tu te rappelles ? Tu n'es pas Martha Stewart.

Macie garda son air impassible et haussa les épaules.

— Il a besoin de quelqu'un pour poser ses affaires au pressing et conduire sa gosse. Ça ne doit pas être bien compliqué. Et pour la cuisine et le ménage, disons que j'ai des contacts.

Ses « contacts » étaient sa colocataire de la fac, Stefanie, qui vivait à Washington et était à la tête d'une entreprise prospère de restauration. *À Croquer* préparait des repas pour des couples dont les deux conjoints travaillaient, leur livrant à domicile des plats chauds faits maison.

— De combien de temps parle-t-on ? demanda Starr en se tapotant derrière l'oreille avec son stylo à plume.

Il fallait toujours demander plus que ce qu'on espérait obtenir. Macie déglutit, la bouche sèche.

— Deux mois devraient suffire.

Starr pouffa.

— Si c'est pour enterrer *On Top* et me donner des cheveux gris avant l'heure, alors oui, aucun problème, répliqua-t-elle en pianotant sur le bureau. Deux semaines. C'est le mieux que je puisse faire.

— Deux semaines ? C'est à peine suffisant pour défaire mes bagages !

Macie regarda ses doigts. En supposant que Starr lui donne le feu vert, ses ongles manucurés et ses nombreuses bagues devraient disparaître, tout comme ses cheveux longs et sa garde-robe exclusivement noire.

— Six semaines, comprenant mes deux semaines de congés payés. Mais si tu publies l'article, et tu le feras, je veux un salaire et le remboursement de mes frais.

Starr prit son temps pour répondre, signe qu'elle allait céder.

— T'es une petite maligne, hein ? dit-elle après un moment. (Macie savait que Starr retenait un sourire.) D'accord, tu as les six semaines, mais tu m'envoies un mail tous les jours pour me tenir au courant. Terri est une bonne rédactrice adjointe, mais elle n'est pas prête à se lancer en solo.

Boostée à l'adrénaline, Macie se leva d'un bond.

— Je vois Terri dès que possible pour m'assurer qu'elle a ce qu'il faut.

— À moins que tu ne projettes de braquer un camion blindé, veille à rester raisonnable dans tes dépenses, l'avertit Starr.

Macie sourit.

— Eh, j'ai toujours été raisonnable, non ?

C'était une question chargée de sous-entendus, et elles le savaient toutes les deux.

Elle avait un pied dans le couloir quand Starr l'interpella. Craignant qu'elle n'ait changé d'avis, Macie se retourna lentement.

— Oui, patronne ?

— Tu es sûre que tu sais ce que tu fais ?

Macie hésita. Elle signait pour s'infiltrer dans une famille, un peu comme la féministe Gloria Steinem dans les années 1960, qui avait enfilé oreilles et queue de lapin pour infiltrer le Playboy Club de Hugh Hefner. Seulement, au lieu d'être une gentille fille jouant à la mauvaise fille, Macie serait la mauvaise fille jouant à la gentille. En était-elle réellement capable ?

Consciente qu'elle n'avait pas une mais deux personnes à convaincre, Macie s'efforça de paraître calme et confiante.

— Si tout se passe bien, ce qui sera le cas, j'aurai fini mes recherches et tu auras tout le reportage sur ton bureau non pas dans six semaines, mais dans quatre, ce qui laissera à votre servante deux semaines, rémunérées, merci bien, pour poser son cul tout blanc sur une plage paradisiaque.

Elle recula dans le couloir en décochant un clin d'œil à Starr.

Au diable la bonne fée et les souris tirant la citrouille ! L'Opération Cendrillon était déjà en marche, et elle serait couronnée de succès.

Devenir la Cendrillon personnelle de Mannon allait requérir une performance d'actrice digne des Oscars. Pour se préparer à son rôle, Macie avait besoin d'un sérieux relooking. Heureusement, elle comptait Franc Whiting, grand styliste de Manhattan, parmi ses amis. *Franc Est Franc* avait ouvert cet été-là dans le quartier de TriBeCa, et obtenir un rendez-vous avec le propriétaire demandait déjà plusieurs mois d'attente. Son coup de fil désespéré sur le téléphone portable de Franc (« J'ai besoin d'une bonne fée, et vite. ») lui avait permis d'obtenir un rendez-vous après la fermeture et la promesse d'une bonne bouteille de pinot noir.

Quelques heures plus tard, elle était assise dans le salon, un ancien entrepôt rénové, en face d'un miroir au cadre doré, ses cheveux dissimulés par une serviette moelleuse. Ses yeux bleu-gris, lourdement maquillés de khôl noir lui donnant un look « smoky eyes » d'enfer, étaient un peu rouges. Ou plutôt ils étaient injectés de sang, signe que sa vie de fêtarde commençait à se voir. Des lèvres pleines, grâce à mère Nature et non au collagène, et une poudre pâle complétaient le look qu'elle avait passé six mois à perfectionner. À présent, bien sûr, tout devrait disparaître.

Franc se pencha en avant, son visage sculpté rejoignant le sien dans le miroir.

— Courage, ma belle. Tu vas être splendide.

Sans qu'elle sache pourquoi, Macie avait toujours trouvé son faux accent britannique incroyablement apaisant.

— Tu dis toujours ça.

Nerveuse, elle joua avec le bord de la serviette. L'année précédente, elle était rousse avec une permanente et un penchant pour le look rétro chic des années 1980. La transformation qu'elle devait opérer ce jour-là, passer du noir au blond, était un processus éreintant qui imposait de décolorer ses cheveux puis de les recolorer en blond blé, qui se rapprochait le plus de sa teinte naturelle, d'aussi loin qu'elle s'en souvienne. Entre deux applications de crème, Macie avait expliqué l'Opération Cendrillon à Franc. En un seul souffle, il l'avait qualifiée de folle, de femme scandaleuse et, bien sûr, de génie.

— Voilà !

Franc retira la serviette, et des cheveux pâles tombèrent sur les épaules de Macie. Elle retint son souffle : elle avait l'impression de voir une étrangère dans le miroir.

— Waouh, c'est un sacré… changement !

Même si le blond était sa couleur naturelle, elle teignait ses cheveux depuis si longtemps qu'elle avait oublié à quoi elle ressemblait autrefois.

Franc lui adressa un sourire plein d'aplomb.

— Que puis-je dire ? La fausse modestie n'est pas de la modestie du tout, et une bonne fée n'aurait pas pu faire mieux en deux heures.

Il prit un peigne et des ciseaux sur le comptoir en marbre, et s'adressa à son reflet.

— En parlant de contes de fées, tu ne crois pas que dire que tes anciens employeurs étaient missionnaires était un peu… trop poussé ?

— En fait, je crois qu'il a tout gobé.

Tandis que Franc démêlait ses boucles, elle s'installa confortablement dans le fauteuil en vinyle, tout en se disant qu'elle ferait mieux de lui raconter la suite avant qu'il prenne les ciseaux.

— D'ailleurs, il est possible qu'il t'appelle.

Le peigne s'arrêta en plein travail. Franc leva la tête.

— Pourquoi ça ?

Macie se mordit la lèvre inférieure, regrettant que son verre de vin ne soit pas à portée de main.

— Il m'a demandé de lui envoyer mes références, et je ne pouvais pas prendre le risque de lui donner une adresse bidon pour qu'il découvre que c'était faux, alors j'ai… euh… je lui ai donné votre numéro de téléphone, à Nathan et à toi.

Elle jeta un coup d'œil derrière le rideau séparant le salon du bureau, où le comptable qui partageait la vie de Franc travaillait. Franc haussa les sourcils.

— Nathan et moi sommes censés être le couple de missionnaires chrétiens pour qui tu as travaillé ?

Elle sortit un bras de sa blouse et lui tapota le bras.

— Détends-toi, frère Franc. Ce n'est pas grave. Ton prénom reste le même, mais avec un K à la fin. Tout ce que tu dois retenir, c'est que tu as une femme, Nadine, et deux ados.

Il fit une pose digne d'un acteur de *La Cage aux folles* et battit des cils.

— Enfin, Macie, nous ne sommes pas des drag-queens. La voix de fausset de Nathan est légèrement meilleure que la mienne, mais elle n'est pas très convaincante.

Macie pouffa.

— S'il insiste pour parler à ton épouse, esquive. Dis-lui qu'elle est à une vente de gâteaux pour l'église ou qu'elle prie, ou… quelque chose, puis appelle-moi. Ma rédactrice adjointe, Terri, a fait du théâtre à l'université de New York. Elle pourra nous aider.

Une fois les cheveux démêlés, il commença à les diviser en sections.

— Et nos enfants imaginaires ? Les petits chéris ont-ils des noms ?

— Chloe et… euh… (Elle hésita.) Zachary.

— Zachary, hmm, choix intéressant.

Dans le miroir, Macie le vit lever les yeux au ciel en entendant le nom de son petit ami, avec qui elle entretenait une relation décousue. Depuis deux mois, ils étaient dans une phase de « pause », si l'on exceptait les quelques appels nocturnes pour un plan cul auxquels elle avait… répondu.

Grillée, elle se laissa retomber contre le dossier de sa chaise.

— Au moins, c'est facile de s'en souvenir. En tout cas, ajouta-t-elle pour revenir au sujet qui l'intéressait, vous êtes tous les quatre sur le point de vous envoler pour une mission de deux ans à… Que penses-tu du Belize ? Je sais que tu détestes l'hiver à New York.

Il passa sa main dans ses cheveux et hocha la tête.

— Comme c'est gentil ! Et qui es-tu, au fait ? Ou Nathan et moi sommes-nous les seuls à avoir des faux noms ?

Elle tenta d'adopter le regard franc et le sourire guindé que les dames de sa ville natale affichaient tous les jours. Battant des cils et étirant ses lèvres au maximum, elle dit d'une voix nonchalante :

— Mon cher, je suis Martha Jane Gray. Ravie de faire votre connaissance.

Leurs regards se croisèrent dans le miroir.

— Tu es plus vraie que nature.

— C'est normal, admit-elle après un instant d'hésitation. J'ai grandi dans une petite ville de l'Indiana, Heavenly.

— Ça a l'air bucolique.

Elle étouffa un gloussement. Heavenly était une appellation monstrueusement inappropriée. La ville accueillait une fabrique de papier et était certainement la bourgade la plus laide de toute l'Amérique.

— C'est sur la Bible Belt, la « ceinture de la Bible ». Mes parents étaient, enfin sont, très pieux, de la vieille école. Vivre selon leurs règles sous leur toit, c'était comme vivre dans un cachot.

Franc, qui attachait ses mèches avec des barrettes en métal, marqua une pause.

— Comment t'es-tu échappée ?

Elle fit rouler ses épaules, qui semblaient soudain aussi raides que son cou.

— J'ai fini par les convaincre que j'étais une cause perdue.

Il retira une barrette d'une longue mèche de cheveux, y glissa le peigne et s'arrêta juste sous son menton.

— Ici ?

Elle avala sa salive, retint son souffle et hocha la tête. Les ciseaux se mirent à couper : elle ne pouvait plus revenir en arrière. Le mal était fait : une boucle de cheveux mouillés glissa sur sa blouse, comme une larme.

Franc s'affaira quelques minutes en silence, concentré. Macie tentait en vain de se détendre, voyant ses cheveux qu'elle avait mis un an à laisser pousser tomber sur le sol carrelé.

— J'imagine que tes parents n'approuvent pas ton style de vie ? reprit Franc tout en maniant ses ciseaux.

Elle souffla, surprise qu'après tout ce temps cela l'affecte encore autant.

— Ils ne m'approuvent pas, point. New York City, c'est Sodome et Gomorrhe pour eux, même s'ils ne sont jamais sortis de leur Amérique profonde pour le voir de leurs propres yeux.

— C'est dommage.

Il alluma le sèche-cheveux, et elle sentit les poils de la grosse brosse ronde aller et venir doucement contre son crâne.

Elle essaya de se détendre et ferma les yeux tandis qu'il faisait rouler les mèches de sa chevelure cisaillée pour atteindre un volume maximal. Elle pouvait dire adieu à ses habitudes fainéantes ! Cette coupe courte et stylisée exigerait plus d'entretien, un autre sacrifice qu'elle faisait « dans l'exercice de ses fonctions ».

Il éteignit enfin le sèche-cheveux.

— Réveille-toi, Cendrillon, dit-il, et regarde ce qu'a fait ma baguette magique.

Elle ouvrit les yeux et se regarda dans le miroir.

— Oh, mon Dieu !

Malgré son maquillage inchangé, la femme qui lui rendait son regard ne ressemblait en rien à celle qui s'était assise dans ce fauteuil seulement quelques heures auparavant.

Il posa ses instruments.

— Je crois que l'exclamation appropriée dans ce cas est Bibbidi-Bobbidi-Boo.

Elle se mordit la lèvre inférieure et toucha ses cheveux, qui tombaient juste sous son menton, encadrant son visage avec éclat.

— Je ressemble à Martha Stewart.

Les traits parfaits de Franc se fendirent d'un sourire.

— J'ai toujours aimé cette femme. Et tu as ce côté « country club ». Avec les vêtements appropriés et le maquillage adéquat, tu peux le faire, ma belle. Tu t'en sors toujours.

Elle secoua la tête pour tester sa nouvelle coupe. Les cheveux blonds coupés avec précision revenaient parfaitement en place dès qu'elle arrêtait de bouger.

— C'est une très belle coupe, ça ne fait aucun doute.

Elle passa la main dans ses cheveux et les laissa glisser entre ses doigts. Malgré tous les produits capillaires, ils étaient incroyablement soyeux, preuve de la qualité des produits que Franc utilisait.

— Du moment qu'une certaine personne approuve, c'est tout ce qui compte, déclara-t-elle.

— Je t'en prie, souffla Franc, une main posée sur le cœur, dis-moi que tu ne parles pas de Zachary.

Elle secoua la tête, remarquant la manière dont les mèches blondes reflétaient la lumière.

— Je voulais parler de Mannon en fait, mais, puisque tu parles de lui, Zachary a des qualités, tu sais.

Franc grimaça et attrapa la bouteille de pinot sur le poste adjacent pour remplir leurs verres.

— Tu veux parler de ses abdos fabuleux et de son petit cul ? Enfin moi, je ne suis pas fan du grunge. Mais franchement, ma belle, j'aimerais que tu arrêtes.

— Et que j'attende le prince charmant ? pouffa-t-elle en acceptant le verre.

Au cours de ses cinq années de célibat à Manhattan, Macie s'était convaincue que le romantisme était l'opium des femmes seules du monde entier. L'homme parfait n'existait pas en dehors des contes de fées. Toute femme qui attendait le prince charmant ferait mieux de s'acheter un vibromasseur et d'arrêter de regarder Disney Channel.

— Tu te moques, rétorqua Franc, mais il y a des mecs super là dehors. Je le sais. Regarde-moi, par exemple. Je suis beau, intelligent ; j'ai de la personnalité… Et ai-je dit que j'étais très spirituel ?

Il tourna sur lui-même, les bras tendus, du vin débordant de son verre. Il lécha le liquide renversé sur son doigt et croisa son regard, soudain très sérieux.

— Tu mérites le gros lot, Mace. Rien de moins.

Elle balança la tête d'un côté et de l'autre, s'habituant à la liberté que lui offrait sa coupe courte.

— J'ai bien peur de ne pas trouver le gros lot chez les mecs hétéros, contra-t-elle en sirotant son verre.

— Et Ross Mannon ? demanda Franc. Est-ce qu'examiner son… lot fait partie de ta mission ?

Macie faillit recracher son vin par le nez.

— Tu plaisantes ? s'exclama-t-elle en toussotant. Je suis peut-être dévouée, enfin, complètement folle, quand il s'agit de mon travail, mais je ne suis pas assez cinglée pour me prostituer pour écrire un article.

Franc l'étudia en faisant tourner son verre de vin.

— C'est rassurant, je suppose. Même si c'est un peu bizarre de choisir un nom aussi tordu que Martha… C'était quoi, l'autre moitié ?

— C'est Martha Jane, et je te ferai savoir que c'est mon vrai prénom. Si tu ne me crois pas, ajouta-t-elle en le voyant bouche bée, j'ai mon permis de conduire pour le prouver. J'ai pris Macie Graham comme nom de plume en arrivant ici, et il me plaisait tellement que j'ai décidé de l'utiliser tout le temps.

Si elle avait gardé son vrai prénom, elle serait encore en train d'écrire des papiers sans importance au lieu de couvrir les sujets sérieux et palpitants qui lui avaient donné envie de devenir journaliste. Son changement de nom avait été le symbole du nouveau départ qu'elle prenait. Elle avait ainsi chassé la provinciale naïve et trop confiante qu'elle avait été, et ce pour toujours.

C'était du moins ce qu'elle avait pensé.

Car elle s'était engagée à se comporter et à parler pendant les six semaines à venir comme la créature qu'elle avait juré de ne jamais être. Une fille traditionnelle, minaudière et gentille à en vomir. Elle serait transfigurée, comme Cendrillon, mais à l'envers. Cela dit, en regardant les cheveux éparpillés à ses pieds, elle se dit que ce sacrifice en valait la peine. Elle voulait faire descendre le prince Ross de ses grands chevaux une fois pour toutes. Galvanisée, prête à aller au bout, elle se leva d'un bond.

La voix de Franc la stoppa dans son élan.

— Pas si vite. Nathan et moi avons un cadeau pour toi. Nathan, mon amour, appela-t-il par-dessus son épaule, sors ton nez de tes tableaux Excel et viens ici. C'est le moment.

Avant qu'elle puisse lui demander ce qu'il mijotait, Franc se pencha et attrapa ce qui ressemblait à une vieille boîte à chaussures en bois. Il se redressa et la lui tendit.

Macie la prit et la posa sur ses genoux, abasourdie et profondément touchée. Elle n'avait pas l'habitude de recevoir des cadeaux et ne savait comment réagir.

— Un cadeau ? En quel honneur ?

Franc haussa les épaules.

— Rien en particulier. Mais tu as tellement soutenu le salon, avec tes articles géniaux dans *On Top*, et tu es une si bonne amie envers Nathan et moi que, quand on les a vues et qu'on a entendu parler de la légende, on a su qu'elles étaient faites pour toi.

— Attendez-moi ! s'écria Nathan en sortant de la réserve, un stylo derrière l'oreille et un appareil photo à la main. Vas-y, ouvre.

Macie souleva le couvercle sous le déclic de l'appareil photo. Elle déplia le papier de soie et sortit délicatement une chaussure de la boîte.

— Oh, mon… Dieu !

La chaussure ancienne à talon et en velours couleur rubis était comme neuve. Pourtant, à en croire son style et ses détails raffinés, elle devait dater de la fin des années 1930 ou du début des années 1940. Des cristaux d'ambre brillant comme de parfaits diamants canari ornaient la lanière et le devant de la chaussure, à bout ouvert.

Tout sourires, Franc hocha la tête.

— Vintage de chez *Saks* et appartenant à la célèbre actrice Maddie Mulligan. Elle les portait le soir où elle a su qu'elle était nominée pour les Oscars. Le même soir, l'homme d'affaires international Carlos Banks l'a demandée en mariage ; il a été son quatrième et dernier époux.

— Un cas classique, des opposés qui s'attirent, ajouta Nathan en adressant un regard tendre à Franc. Les commères hollywoodiennes juraient que ça ne durerait pas plus longtemps que les autres amours de Maddie. Ils ont eu bien tort.

Fan des films en noir et blanc, Macie connaissait cette légende. Maddie Mulligan avait grandi dans la pauvreté à Dublin et avait fait fortune à Hollywood au début des années 1930. Après plus d'une décennie de mariages en série et de fêtes largement arrosées de gin, la célèbre actrice s'était rangée contre toute attente et avait connu une fin heureuse aux côtés de Banks, avec qui elle avait passé le reste de sa vie. Dans les interviews et dans ses Mémoires, Maddie avait affirmé que son mari, homme d'affaires rangé, était l'amour de sa vie et que les chaussures lui avaient porté chance.

— Je les ai arrachées à une vente aux enchères silencieuses cet été, l'informa Franc.

— À une soirée caritative où je l'ai attiré de force, souligna Nathan.

Franc ne dénia pas.

— On attendait le bon moment pour te les donner. Vu que tu pars pour l'Opération Cendrillon, le moment est parfaitement choisi !

Nathan fronça les sourcils.

— Tu pars ? L'Opération Cendrillon ? J'ai loupé quelque chose ?

Franc tapa sur l'épaule de son compagnon.

— Macie va à Washington pour un mois environ. Je te raconterai..., Nadine. (Il se tourna vers Macie.) Tu aimes ?

— Si j'aime ? J'adore ! Elles sont magnifiques ! Je ne sais pas quoi dire.

— Essaie-les, dit Nathan avec impatience.

Espérant que son trente-neuf rentre dans les souliers, elle retira ses escarpins et glissa son pied droit dans le velours rouge. Elle s'était attendue à être serrée, mais la petite pantoufle lui allait à merveille.

Son regard allait de Franc à Nathan, ses amis faisant office de bonnes fées, et elle ne savait pas quoi dire.

— Merci ! souffla-t-elle enfin. J'ai hâte de les porter, quand je reviendrai en ville.

Washington avait beau être la capitale du pays, c'était un désert en ce qui concernait la mode. Et puis, en endossant le rôle de gouvernante pour Mannon, elle n'aurait pas beaucoup l'occasion de sortir, et encore moins en tenue de soirée.

Franc secoua la tête.

— Emmène-les et porte-les, même si c'est pour les mettre quand tu es seule, pour te rappeler que tu restes..., eh bien, toi, une princesse sous les cendres et la suie. Ou, dans ton cas, sous le Talbots et le Burberry. Qui sait ? Peut-être que la chance de Maddie va déteindre sur toi.

Émue, Macie avala sa salive avec difficulté.

— D'accord. Merci, les garçons. Je les emporterai.

Elle avait renoncé à l'amour des contes de fées quand elle était petite. Et, en ce qui concernait la légende, ce n'était qu'une histoire, une fiction. Toutefois, Franc avait raison : quand elle serait dans les affres de l'Opération Cendrillon, ce serait agréable d'avoir avec elle un objet lui rappelant New York et ses amis, pour se souvenir de qui elle était. Une belle paire de chaussures restait une belle paire de chaussures même si personne ne les portait pour aller au bal.

Chapitre 3

— Salut, maman. C'est moi.

La tête penchée sur son téléphone portable, Ross utilisa sa main libre pour rincer sa tasse de café dans l'évier de la cuisine.

— C'est bon d'entendre ta voix, mon fils, dit sa mère comme si cela faisait des semaines qu'ils ne s'étaient pas parlé, alors qu'ils s'étaient téléphoné la semaine précédente. Comment ça se passe pour Samantha et toi, à Washington, dans le district de Columbia ?

Sa façon de parler de la capitale donnait l'impression que le district était un pays étranger. Cela dit, pour sa famille terrée à Paris, au Texas, c'était tout comme.

Ross hésita. Ses parents savaient que Sam était venue vivre avec lui pour quelque temps, mais c'était tout. Il était resté délibérément vague sur les circonstances de son arrivée, même s'il se doutait que sa mère n'était pas dupe.

— Ça se passe… bien. Je crois avoir trouvé une gouvernante, ajouta-t-il pour mener la conversation en terrain sûr.

— C'est merveilleux. Comment est-elle ?

Ross ouvrit le lave-vaisselle et posa sa tasse sale sur le portant du haut.

— Je ne l'ai pas encore rencontrée, confia-t-il. J'ai organisé une entrevue avec elle ce midi. Elle vit à New York, mais elle est originaire d'une petite ville de l'Indiana. Elle est venue à l'Est pour faire des études dans l'enseignement à l'Université catholique. Jusqu'à présent, nous n'avons parlé qu'au téléphone.

Il avait appelé Mlle Gray quelques jours auparavant. Ce qui avait démarré comme un simple entretien s'était transformé en conversation qui avait duré presque une heure. Entendant une télévision chez elle en fond, il lui avait demandé quel genre de films elle aimait. Il se trouvait qu'ils étaient tous deux amateurs de films classiques. *La Mort aux trousses* était un de ses films préférés à elle aussi. Elle considérait Cary Grant comme le George Clooney de son temps, et Eva Marie Saint était « tout simplement éblouissante ». Pour elle, la colorisation des films en noir et blanc pour les rendre plus modernes était « presque immorale ». Ross était on ne peut plus d'accord.

Sans s'en rendre compte, il ne conduisait plus un entretien : il menait une conversation sincère. Et s'amusait follement. Bien sûr, elle avait d'abord été nerveuse, mais plus ils avaient parlé, plus elle avait semblé détendue, lui donnant un aperçu de sa cordialité, de son intelligence et même de son humour.

La voix de sa mère le ramena au présent.

— On peut en apprendre beaucoup sur la personnalité de quelqu'un au téléphone. Pas forcément grâce à ce que la personne dit ; ce qu'elle ne dit pas est souvent très révélateur, ajouta-t-elle.

Refermant le lave-vaisselle avec sa hanche, Ross déglutit. Au téléphone, il n'avait pas informé Mlle Gray que Sam voyait un psychologue. Sa séance hebdomadaire était d'ailleurs prévue pour ce matin-là.

Sam choisit cet instant pour entrer d'un pas lourd dans la cuisine, un verre de jus d'orange à moitié fini à la main. Avec son haut trop moulant et son jean taille basse déchiré aux genoux, elle ressemblait à un membre des Hells Angels, et non à une élève de l'école privée sélecte dans laquelle il l'avait inscrite.

Note à moi-même : la prochaine fois, choisis une école avec uniforme.

Elle le dépassa pour aller vers l'évier, où elle jeta son reste de jus d'orange comme s'il ne coûtait rien.

— Déstresse, papa, dit-elle, voyant qu'il la regardait. Je serai bientôt prête à me faire ausculter le cerveau.

Ross couvrit le combiné d'une main, en espérant que sa mère n'avait rien entendu.

— Est-ce ma petite-fille chérie ? demanda celle-ci, qui savait parfaitement que c'était le cas.

Merde !

— Oui, m'dame, c'est elle. Malheureusement, ajouta-t-il en lançant un regard sévère à sa fille, elle ne peut pas te parler maintenant. Elle doit aller se changer immédiatement. (Il fit signe à Sam de sortir de la cuisine.) Écoute maman, je… je dois y aller. Je t'appelle plus tard, promis.

— D'accord, mais tu ne m'as pas dit son nom.

— Son… (L'interruption de Sam avait distrait Ross de leur conversation initiale.) Ah oui, désolé ! Martha Jane Gray.

— Martha Jane, répéta sa mère. On n'entend plus ce genre de prénom de nos jours. Il me plaît. Elle me plaît. J'ai un bon pressentiment au sujet de cette jeune femme.

Pour la première fois de la journée, Ross sentit un sourire s'étendre sur ses lèvres.

— Moi aussi, maman.

Le restaurant *The Dubliner*, dans le nord-est de Washington, se trouvait sur North Capitol Street, à quelques rues d'Union Station. Le pub irlandais tournait à petit régime quand Macie arriva. Le bar en bois était comme dans ses souvenirs ; quand elle était à l'université, elle venait dans ce bar avec ses amis pour traîner et boire des pichets de Guinness et des bouteilles de Harp. Elle regarda autour d'elle et vit les personnes auxquelles on pouvait s'attendre : politiciens et membres du gouvernement travaillant au Congrès tout proche, les hommes portant leur « uniforme », costume sombre ou veste marine, et les femmes en tailleur aux couleurs neutres. Macie, vêtue de la même façon, avec une blouse en soie et une jupe s'arrêtant au genou, s'avança vers l'hôtesse, une jeune femme visiblement stressée.

— Bonjour, j'ai une réservation au nom de Mannon.

La jeune fille qui était en train de ranger des menus leva la tête en soufflant pour écarter une mèche de cheveux de ses yeux.

— M. Mannon est déjà arrivé. Je vous accompagne à votre table dans une minute, d'accord ?

Une voix de baryton désormais familière répondit pour elle.

— C'est bon, Mag. Je l'emmène.

Le cœur battant la chamade, Macie se retourna lentement. Son regard rencontra une paire d'yeux incroyablement bleus, et, l'espace de quelques secondes, son cœur palpita follement.

— Docteur Mannon ? dit-elle lorsqu'elle eut retrouvé ses esprits.

— Ross.

Sa voix grave était légèrement différente de celle qu'il avait au téléphone ; l'intonation texane rallongeait ses voyelles de façon à la fois douce et sexy.

— Vous devez être mademoiselle Gray ?

Macie hocha la tête. Elle avait l'impression que ses genoux se transformaient en compote.

— Oui, c'est elle… ; enfin, c'est moi.

Bon sang, ressaisis-toi !

Après leur conversation téléphonique, plus tôt cette semaine-là, elle avait compris qu'elle devrait rester sur ses gardes. Il avait été charmant, mais elle y était préparée : après tout, c'était une personnalité médiatique. Qu'il adore lui aussi les films classiques l'avait prise par surprise. *La Mort aux trousses* était son film préféré ! Sérieusement ! Pendant leur conversation, elle avait parfois oublié qu'elle devait jouer un rôle et avait simplement été... elle-même.

Ce n'était pas juste qu'il soit plus mignon que sur les photos. Avec sa veste en tweed, son jean usé et ses santiags, il aurait pu sortir tout droit des pages d'un catalogue American Eagle Outfitters.

Elle ouvrit la bouche pour l'inviter à l'appeler Macie quand elle se rappela où elle était et, surtout, qui elle était censée être.

— Martha Jane.

Elle hésita, sourit, puis lui tendit une main tremblante.

— Ravi de vous rencontrer, m'dame.

Soutenant son regard, il glissa sa grande main autour de la sienne dans une poigne ferme mais pas écrasante.

« Madame » : voilà un mot qu'elle n'avait pas entendu depuis longtemps, certainement pas depuis qu'elle avait emménagé à Manhattan. Elle baissa les yeux vers leurs mains jointes, la sienne éclipsée par la large paume et les longs doigts de Ross Mannon, et sentit une étincelle, à mi-chemin entre l'électricité et la foudre, parcourir sa peau.

Elle frémit, puis recula et remit une mèche de cheveux derrière son oreille.

— J'espère que je ne vous ai pas fait attendre ?

Il secoua la tête.

— Sam et moi venons d'arriver.

— Sam ?

— Ma fille, Samantha.

— Oh oui, bien sûr !

Fameuse façon d'aborder leur entretien.

— J'ai dû l'amener à un rendez-vous... chez le médecin. Vous avez fait bon voyage ? demanda-t-il, recentrant adroitement la conversation sur elle.

Ses instincts de journaliste étaient peut-être en surchauffe, mais il semblait nerveux soudain.

— Oui, merci. J'adore prendre le train. Ça me donne l'occasion de lire.

Elle commença à sortir son livre, mais une grande adolescente les interrompit en se glissant à côté de Mannon.

— On commande ou quoi ? Je crève de faim.

Les mains fourrées dans les poches de sa veste de motard en cuir noir, Samantha Mannon posa des yeux glacials sur Macie. Même s'ils venaient tout juste de se rencontrer, Macie sentit un changement s'opérer chez Mannon. Il se tourna vers la jeune fille, non sans grimacer.

— Surveille tes manières, Sam. Nous avons de la compagnie, ajouta-t-il avant de se tourner de nouveau vers Macie, le visage fermé. Mademoiselle Gray, voici ma fille, Samantha.

Macie tendit la main.

— Ravie de te rencontrer, Samantha.

— Sam, corrigea l'adolescente, qui fit la moue en regardant la main de Macie comme si elle se demandait à quand remontait le dernier lavage.

Macie laissa retomber son bras. La fille de Mannon ne correspondait pas à ce à quoi elle s'était attendue. Avec ses cheveux bruns coupés au rasoir, ses piercings et son jean déchiré, Samantha Mannon ressemblait davantage à une jeune motarde qu'à la fille de l'un des grands pontes conservateurs du pays.

L'air contrit, Mannon désigna un box dans la salle de restaurant adjacente.

— Nous sommes installés juste là.

Il s'écarta pour la laisser passer, sa main effleurant le bas du dos de Macie. Elle dut faire de son mieux pour ignorer les étranges sentiments et les fourmillements que ce simple contact avait suffi à déclencher.

Ces six semaines vont être longues.

Priant pour ne pas s'emmêler les pinceaux et trébucher, elle zigzagua entre les tables et se glissa sur la banquette de leur box. Ce ne fut pas Mannon mais Samantha qui s'assit en face d'elle.

La jeune fille plongea ses yeux cernés de noir et aussi perçants qu'un foret dans les siens.

— Au cas où vous ne l'auriez pas compris, papa vient déjeuner ici tous les vendredis à midi pile. Vous pouvez régler votre montre sur son emploi du temps…, sauf aujourd'hui. Vous nous avez mis en retard.

— Samantha !

Exaspéré, Mannon s'assit à côté de sa fille.

Macie intervint : le plus tôt serait le mieux pour endosser son rôle de gouvernante compétente.

— En réalité, Samantha n'a pas tort. Mon train était en retard. Où est Mussolini quand on a besoin de lui ?

La seule chose positive qu'avait accomplie le dictateur italien était d'avoir réussi à faire que tous les trains soient à l'heure – une première. L'histoire avait été l'une des matières préférées de Macie au lycée. Jusqu'à ce qu'elle arrête d'étudier ou de se soucier d'autre chose que de s'en sortir.

L'air ignorant de la jeune fille confirma qu'elle n'avait jamais entendu parler de Mussolini, contrairement à Mannon qui éclata de rire. Cela détendit enfin l'atmosphère, et Macie se sentit étrangement plus légère. Surprise par la sensation de bien-être qui l'envahissait, elle le dévisagea, observant son front haut et ses pommettes sculptées, les plis aux coins de ses yeux et de sa bouche, et sa légère barbe blonde de trois jours. Le fait qu'il ne soit pas fraîchement rasé comme dans la vidéo était aussi une véritable surprise. Et c'était furieusement sexy !

Il regarda Samantha qui se donnait en spectacle en consultant son menu.

— Sam aurait besoin d'aide en histoire, matière qui n'est pas son point fort, comme vous l'avez sans doute deviné.

Il accompagna cet aveu par un sourire en coin qui fit bondir le cœur de Macie. *Bon sang, Graham, ressaisis-toi !*

— C'est naze, l'histoire, déclara Samantha en tournant une page du menu avec colère.

Macie ouvrit son propre menu et dissimula son sourire. Donne tout ce que t'as, gamine. Tu connais peut-être les règles du jeu, mais c'est moi qui les ai inventées.

Une serveuse se matérialisa avec un plateau de verres d'eau glacée.

— Bonjour, je m'appelle Michelle, dit-elle en posant les verres. Désirez-vous quelque chose à boire ?

— Un thé glacé, s'il vous plaît, répondit Macie en espérant que sa voix ne trahissait pas son désarroi, car, à New York, le seul genre de thé glacé qu'elle buvait était le Long Island.

— Je prendrai la même chose. Merci, dit Mannon en hochant la tête.

L'air très sérieux, Samantha leva la tête.

— Je prendrai un rhum-Coca, déclara-t-elle.

— Très marrant, Samantha, soupira Mannon avant de se tourner vers la serveuse. Elle prendra un Coca normal.

— Un Coca Light, corrigea Samantha. S'il vous plaît, ajouta-t-elle en remarquant le regard sévère de son père.

— Je peux prendre votre commande quand j'apporte les boissons ou, si vous êtes prêts à commander tout de suite…

Ayant passé la majorité de sa première année à New York à travailler en tant que serveuse, Macie comprit ce que Michelle laissait entendre.

— Je suis prête si vous l'êtes.

Il y avait au menu des plats copieux, dont de nombreux plats typiques irlandais. Même si elle n'avait pas faim, elle choisit la salade au poulet, ne serait-ce que pour pouvoir répondre aux questions que Mannon lui poserait sans être embarrassée par un sandwich. Samantha commanda la salade de la maison accompagnée de frites, et Mannon prit le corned-beef au chou et demanda des pelures de pommes de terre en chips pour l'apéritif.

La serveuse coinça le plateau sous son bras et se précipita vers une autre table. Macie regarda Mannon et se prépara à l'interrogatoire qui allait inévitablement commencer. Elle n'eut pas à patienter longtemps.

— Je suis curieux, mademoiselle Gray. Comment avez-vous atterri à New York après l'Indiana ?

Très bien. Ils n'allaient pas parler cinéma cette fois. Heureusement, une fois encore, elle n'avait qu'à dire la vérité.

— En fait, je suis allée de l'Indiana à Washington pour l'école, puis, de là, je suis partie à New York.

Mannon hocha la tête.

— C'est vrai, vous avez fait des études pour travailler dans l'éducation. Pourquoi avoir choisi ce domaine, si vous me permettez de vous poser la question ?

Elle n'avait pas eu le choix. Ses études lui avaient été imposées, comme tout le reste à l'époque. Ses parents avaient accepté de payer les frais de scolarité que sa bourse ne couvrait pas à condition qu'elle fasse des études d'infirmière, de bibliothécaire ou d'enseignante, seules spécialités qu'ils trouvaient convenables pour une jeune fille maintenant que l'éducation ménagère n'était plus dispensée. Elle avait choisi l'enseignement comme un moindre mal et s'était inscrite également en littérature en disant à ses parents que c'était la matière qu'elle voulait enseigner. Seulement, rester confinée dans une salle de classe ne faisait pas partie de ses plans.

Aussi loin qu'elle s'en souvienne, elle avait toujours voulu être journaliste dans la grande tradition dénonciatrice d'Upton Sinclair, ou de Woodward et Bernstein. Elle voulait écrire des articles critiques destinés à faire trembler les groupes de pression des entreprises et les grosses industries polluant l'environnement. En attendant, travailler pour un magazine commercial comme *On Top* lui permettait de payer ses factures et d'enchaîner les articles.

Elle but une gorgée d'eau. Bon Dieu, ce qu'elle avait la gorge sèche !

— Ma mère était institutrice avant d'épouser mon père, alors je suppose que travailler avec des enfants est dans mon sang.

Mannon croisa ses mains sur la table, et Macie baissa les yeux presque malgré elle. Il émanait une impression de puissance de ses doigts ainsi mêlés. Sur ses phalanges, elle distingua des cicatrices, signe qu'un jour Mannon avait travaillé durement avec ses mains. Encore une surprise.

— Vous avez fait un stage avec des enfants en bas âge et pourtant, dans votre mail, vous dites que la famille pour laquelle vous travailliez jusqu'à maintenant avait des adolescents.

Elle releva la tête.

— Oui, c'est juste, même si Chloe était au collège quand j'ai commencé.

Chloe était le prénom qu'elle avait choisi pour sa future fille, à l'époque où elle croyait encore aux contes de fées.

— J'ai découvert que c'est avec les adolescents que je préfère travailler, précisa-t-elle.

Il haussa un sourcil, curieux.

— Pourquoi ça ?

Mince ! Pourquoi cherchait-elle à compliquer les choses ? Elle sirota une autre gorgée d'eau.

— Eh bien, certainement parce que c'est… c'est un moment déroutant pour les enfants, mais également un moment magique. Ou du moins ça devrait l'être. Je trouve cela très difficile de les aider à devenir de jeunes adultes, mais c'est aussi très gratifiant.

Elle songea à comparer leur évolution à celle d'un papillon ; mais, quand il s'agissait de mensonges, le mieux était réellement l'ennemi du bien.

— Et je suppose que c'est aussi dû à un côté plus personnel.

— Comment cela ?

Il avait élevé la voix d'un décibel à peine, et pourtant elle sentit un changement en lui, une méfiance.

Elle répondit honnêtement.

— Ma sœur, Pam, est étudiante, en deuxième année de fac. J'imagine que cela me fait prendre conscience à quel point il est difficile d'être un enfant de nos jours.

Elle n'avait pas vu Pam depuis la dernière fois qu'elle était rentrée chez elle, presque deux ans auparavant. Sa visite avait été un véritable désastre. L'ambiance, entre ses parents et elle, avait été explosive. Elle était donc partie plus tôt que prévu, et son père l'avait accusée de gâcher Noël pour tout le monde. Mais partir avant que la situation empire avait semblé être le plus beau cadeau qu'elle puisse leur faire à tous, elle y compris.

Elle avait la gorge serrée : il était temps de s'éloigner un peu de sa réalité.

— Mais je parle, je parle, alors que c'est vous qui avez écrit un livre sur le sujet.

Elle plongea la main dans son sac et en sortit le livre qu'elle avait apporté. *Élever sainement ses enfants dans un monde de fous* n'allait pas faire fermer boutique à Nora Roberts, mais la prose était plus vivante et plus habile qu'elle ne s'y était attendue. Pour un universitaire, Mannon n'était pas un mauvais écrivain, en supposant qu'il n'ait pas payé un nègre. Quoi qu'il en soit, toutes ses théories étaient erronées.

— Je l'ai fini pendant le trajet. J'espérais que vous pourriez me le dédicacer, si ce n'est pas trop vous demander.

Sam qui avait gardé le silence jusque-là leva les yeux au ciel en sifflant d'un air de dire : « Lèche-cul ! »

Macie n'en tint pas compte et fit glisser le livre vers Mannon sur la table. Elle s'était attendue à ce qu'il se pavane, mais, tout au contraire, il avait l'air… gêné.

— Bien sûr, j'en serais ravi.

Il sortit un stylo à plume onéreux de la poche de sa veste, ainsi que des lunettes de vue, et ouvrit le livre à la page du titre. Lorsqu'il enfila ses lunettes au cadre métallique, Macie en oublia de respirer. Jamais elle n'avait pensé que des lunettes pouvaient être un accessoire sexy, mais sur Ross Mannon elles l'étaient. Le grattage du stylo sur le papier emplit le silence, et Macie en profita pour se reprendre. Elle but une nouvelle gorgée d'eau. Elle avait l'impression d'être restée trop longtemps dans un sauna ; la bouche sèche, un peu étourdie, elle était contente d'être assise. Lorsqu'elle releva la tête, elle remarqua le sourire suffisant de Samantha. Si une ado de quinze ans voyait clair dans son jeu, il était évident qu'elle était en train de foirer cet entretien de manière spectaculaire.

— Tenez, dit Mannon en remettant le stylo dans sa poche et en lui rendant le livre fermé.

— Merci.

Elle remit l'ouvrage dans son sac à l'instant où la serveuse revenait avec leurs boissons et chips. Samantha jeta un regard sur l'assiette de pelures de pommes de terre fourrées et la repoussa.

— Il y a du bacon. Je déteste le bacon. Des petits morceaux de cochons innocents… Dégueu !

— Comme tu voudras, dit Mannon en offrant l'assiette à Macie. Samantha se considère comme une végétarienne, sauf qu'elle mange du poisson cru. Allez comprendre.

Sa fille lui lança un regard noir.

— Je suis végétarienne, et les sushis que je mange sont végétariens.

Sans savoir pourquoi, Macie ressentit le besoin d'intervenir : quelque chose la touchait dans le regard furieux de Samantha. Sa façon de jouer à la dure n'était qu'une façade, et, ayant vécu la même chose, Macie ne pouvait s'empêcher de se demander de quoi Samantha Mannon voulait tant se protéger.

Dans un élan de solidarité, elle précisa :

— Je ne mange pas beaucoup de porc moi-même, mais regarde, c'est juste posé sur le dessus. Tu peux l'enlever. Moi, c'est ce que je vais faire.

Pour preuve, elle se servit un morceau et enleva le bacon avec les dents de sa fourchette.

Samantha la regarda faire, les yeux plissés, puis elle se redressa brusquement.

— C'est une super idée.

Radieuse, elle tendit la main vers l'assiette et se servit non pas une, mais deux pelures fourrées. Évitant le regard sévère de son père, elle ignora ses couverts et enleva le bacon avec ses doigts.

— Mademoiselle Gray, pourriez-vous me passer le ketchup ? demanda-t-elle.

— Bien sûr.

Macie lui donna la bouteille en se disant que la jeune fille était peut-être bipolaire et que ses médicaments venaient seulement de commencer à faire effet.

Samantha enleva le bouchon et renversa la bouteille au-dessus de son assiette.

— Ça coule pas, dit-elle en tapant le fond de la bouteille en verre.

— Donne. Laisse-moi t'aider, ma puce, proposa Mannon.

La bouteille inclinée dans la main, Samantha secoua la tête.

— Non merci, papa. Je vais y arriver.

Macie releva la tête au moment où le missile de ketchup la frappa, faisant une grosse tache sur son sein gauche.

— Oh, je suis désolée, mademoiselle Gray !

Les yeux brillants, Samantha plongea une serviette dans son verre d'eau et se leva de son siège pour se pencher vers Macie.

— Oh non ! N'essaie même pas de... Enfin, je veux dire, ça va. Je vais m'en occuper.

Macie arracha la serviette mouillée de la main de l'adolescente.

— Samantha, assieds-toi, ordonna sèchement Mannon.

Samantha se rassit sans se faire prier.

— Mince ! J'espère que ce n'est pas de la vraie soie.

L'ado pouvait à peine se retenir de sourire.

Non seulement le chemisier était cent pour cent soie, mais Macie venait tout juste de l'acheter chez *Ann Taylor*, et pas en soldes. Utilisant son restant d'eau pour mouiller un coin de sa serviette, elle rattrapa une goutte visqueuse avant qu'elle tombe sur sa jupe et la tache à son tour.

— Ne t'inquiète pas, Samantha, se força-t-elle à dire, les dents serrées. Les accidents, ça arrive.

Un accident, mon cul ! Le petit monstre avait fait exprès de l'asperger, en la visant avec la précision d'un amateur de paintball. Macie croisa le regard de Mannon. Sous l'évidente mortification parentale, elle décela une peur fugace. *Il sait qu'elle l'a fait exprès, et il se demande ce que ça veut dire.*

Il secoua la tête, l'air si nerveux qu'elle le plaignait presque.

— Je suis terriblement confus, mademoiselle Gray. Envoyez-moi la facture du pressing, et je m'en occuperai. Ou mieux encore : laissez-moi vous racheter le même chemisier.

— Merci, mais ce ne sera pas nécessaire.

En regardant les dégâts, elle vit que l'eau avait rendu la soie blanche transparente, révélant le bord en dentelle de son soutien-gorge et, peut-être, sa vraie personnalité. Ses sous-vêtements étaient les seuls vêtements qui lui permettaient encore d'être elle-même. Elle avait pensé que s'exprimer par des sous-vêtements sexy serait sans danger. Ce qui n'était visiblement pas le cas.

— Regarde, papa. On voit son… euh… soutien-gorge. Ne vous inquiétez pas, mademoiselle Gray : dites-nous votre taille, et nous irons vous chercher un joli soutien-gorge tout neuf chez *Victoria's Secret* à Union Station, n'est-ce pas, papa ?

— Samantha, ça suffit !

Mannon, le visage cramoisi, attrapa sa fille par le bras pour qu'elle reste en place.

Décidément, Samantha Mannon était soit la pire morveuse du monde, soit la publicité parfaite pour un traitement contre l'hyperactivité. Seul le temps le dirait. Quoi qu'il en soit, l'impertinence de son enfant en public devant une étrangère mettrait à l'épreuve la patience de tout parent, mais pour un soi-disant expert en la matière comme Ross Mannon, ce devait être une véritable torture. Alors pourquoi ne pouvait-elle s'empêcher de le plaindre ?

Macie était sur le point de s'excuser pour aller aux toilettes quand la serveuse arriva avec leurs plats. Elle vit le chemisier maculé de Macie et promit de revenir avec de l'eau gazeuse pour éliminer la tache.

Macie baissa les yeux vers son assiette de salade au poulet grillé, aux olives et à l'œuf dur, et son estomac se retourna. L'idée de passer six semaines au sein de cette famille dysfonctionnelle ressemblait soudain davantage à un séjour en camp d'entraînement qu'à une mission journalistique.

Mannon ne semblait pas avoir très faim.

— Je vais aller vous chercher cette eau gazeuse.

Il enleva sa serviette de ses genoux, la jeta sur son siège et se glissa hors de la banquette.

En face d'elle, Samantha dévorait ses frites comme un participant de téléréalité qui aurait passé des semaines à manger des vers. Seule avec elle, Macie ne put s'empêcher de demander :

— Tu n'oublies pas l'ingrédient manquant ? demanda-t-elle en tapotant la bouteille de ketchup de son ongle, récemment coupé et manucuré.

L'ado releva la tête, les yeux brillant de malice.

— Non merci. Je ne prends jamais de ce truc.

— Une coupe glacée pour le dessert, mademoiselle Gray ? Seulement, si Samantha demande le sirop au chocolat, je me méfierais à votre place, dit Mannon avec un petit rire en poussant son assiette vide sur le côté.

Macie sentit un sourire se former sur ses lèvres. Depuis qu'il était revenu avec de l'eau gazeuse et d'autres serviettes, son potentiel futur employeur avait réussi à les remettre de bonne humeur..., à l'exception de Samantha.

— Je note, répondit-elle en jetant un coup d'œil à l'adolescente.

L'air renfrogné, tête baissée sur son assiette à peine picorée, Samantha ne se joignit pas à eux, ce qui ne surprit pas Macie. Manifestement, son intention de saboter l'entretien avait échoué, pour l'instant du moins. L'accident au ketchup n'avait fait que niveler le terrain de jeu. Macie était certaine que Mannon l'aurait questionnée davantage si sa fille ne s'était pas mal conduite. Au lieu de la cuisiner, il semblait sortir le grand jeu pour la charmer, tout en gardant le regard rivé sur son visage. Une fois ou deux, cependant, elle avait cru voir ses yeux bleus dériver en dessous de la ligne de ses épaules. Qu'il la regarde non pas comme une gouvernante mais comme une femme aurait dû l'offenser…, mais il n'en était rien. D'un autre côté, la raison même de sa présence à Washington était de prouver qu'il n'était pas le conservateur sans tache qu'il prétendait être. Si elle pouvait faire avancer sa mission en lui montrant ses seins, elle se ferait une joie de payer le prochain piercing de Samantha Mannon, et même un tatouage de dragon.

Après avoir payé la note, Mannon se tourna vers elle.

— J'aimerais passer par l'appartement pour vous le faire visiter, si cela vous convient. Ainsi, vous pourrez le voir de vos propres yeux et évaluer ses avantages.

— Ses avantages ? répéta-t-elle, se demandant ce qu'elle avait loupé.

— Mon écran plat est énorme, et j'ai un bon paquet de chaînes. Y compris celle qui diffuse des films en noir et blanc en boucle, ajouta-t-il avec un sourire.

Elle avait beau être habillée comme une fille sage, l'entendre parler de choses « énormes » et de son « bon paquet » affola son pouls. Et, même si sa référence à leur discussion téléphonique étonnamment charmante lui faisait plaisir (Zach avait toujours refusé de regarder tout film antérieur aux années 1980), il était évident qu'elle ne pouvait donner qu'une seule réponse.

—Avec plaisir. Je me transforme en citrouille à 17 heures cependant, au départ de mon train.

Elle avait acheté son billet de retour à l'avance, et pas seulement parce que c'était moins cher. Depuis qu'elle avait lancé l'Opération Cendrillon, comme la princesse du conte, elle avait toujours un œil sur la sortie.

—Ne vous inquiétez pas, lui assura-t-il. Je vous promets de vous ramener à l'heure.

Ils quittèrent le restaurant et, Samantha en tête, se dirigèrent vers Union Station, où la voiture de Mannon était garée. Contente d'être de nouveau dehors, Macie savoura la chaleur du soleil sur son visage. Contrairement à la densité urbaine de Manhattan, Washington était une ville très aérée faite de grands espaces et profitait d'un climat doux tout au long de l'année.

Elle était tombée amoureuse de la capitale quand elle était venue en tant qu'étudiante. Huit ans s'étaient-ils vraiment écoulés depuis ? Faire du vélo le long du Potomac ou voir *Lawrence d'Arabie* en version restaurée au mythique *Uptown Theater* de Cleveland Park étaient de merveilleux souvenirs, quoique lointains.

Le signal piéton passa au rouge, et ils s'arrêtèrent.

—Vous revenez souvent ici ? demanda Mannon.

Elle se tourna et leva la tête vers lui. Elle avait beau être grande et porter des talons, il la dépassait tout de même de quelques centimètres.

— C'est la première fois depuis que j'ai eu mon diplôme, avoua-t-elle. J'imagine que je suis un peu nostalgique.

Il lui adressa un sourire en coin des plus séduisants et posa ses yeux d'un bleu profond sur son visage.

— Vous me semblez un peu jeune pour être nostalgique.

Il avait l'air amusé, et elle voulut être en rogne contre lui, mais en vain. Il était bien trop charmant, trop bienveillant.

— Cela dépend de la mesure qu'on donne au temps, je suppose.

Il garda le regard rivé sur elle un instant. La caresse de ses yeux bleus lui donnait l'impression d'avoir des papillons dans le ventre.

— Ma foi, vous n'avez pas tort.

« Ma foi » ? Elle était dans une vieille série ou quoi ? Pourtant, avec sa douce voix traînante, l'expression désuète semblait plus sexy que dépassée.

Très sexy, même.

Devant eux, une Samantha à l'air hargneuse trépignait d'impatience. Une ombre passa sur le visage de Mannon.

— Parfois, quand je regarde Sam, je me demande où sont passées les années. D'autres fois, je sens le poids de chaque jour comme si c'était une année.

À en croire la biographie de son site et sa page Wikipédia, il avait trente-quatre ans, huit ans de plus qu'elle. Quand bien même, trente-quatre ans, c'était jeune. Pourtant, il ne semblait pas voir les choses ainsi.

— Je comprends, s'entendit-elle admettre.

Étrangement, elle comprenait sincèrement ce qu'il voulait dire. Elle avait à peine vingt-six ans, mais depuis ses seize ans, cette année charnière et désastreuse durant laquelle elle avait fait face à toutes ces merdes, elle avait la sensation d'être plus vieille qu'elle ne l'était en réalité. Une vieille âme désabusée coincée dans le corps d'une jeune femme. Porter des vêtements à la mode et autant de maquillage, c'était comme patiner la douleur pour elle : elle retenait la souffrance et, surtout, l'empêchait de la trahir. Durant six semaines, elle n'aurait plus cette protection.

Le signal piéton passa au vert, et ils traversèrent. Samantha s'envola du poteau où elle se tenait juchée et courut vers son père.

— Papa, il y a des soldes chez *Express*. J'ai vraiment besoin…

— De rien du tout.

Samantha commença à objecter, mais son père la coupa en secouant fermement la tête.

— Ta chambre est tellement remplie que ça déborde dans le couloir. Range tout ce bazar, et ensuite on pourra peut-être parler shopping.

Samantha marmonna un « trop pas juste » et s'éloigna vers la rampe menant au parking souterrain.

Mannon se tourna vers Macie. Cette fois-ci, son sourire n'atteignait pas ses yeux.

— En parlant de nostalgie, me croirez-vous, mademoiselle Gray, si je vous dis que ma fille était autrefois la petite fille la plus adorable de notre belle Terre ?

Macie résista à l'envie de poser sa main sur son épaule si puissante malgré le poids énorme qu'elle portait.

— Mais nous avons tous été des anges un jour, docteur Mannon, n'est-ce pas ?

Ils rattrapèrent Samantha dans le parking de la gare, devant la Ford Explorer blanche de Mannon. Une fois sortis du parking, ils s'engagèrent sur Massachusetts Avenue et rejoignirent le Watergate en moins de vingt minutes malgré le trafic dense. Macie devait admettre qu'elle était impressionnée, à la fois par ce choix non prétentieux de véhicule de la part de Mannon et par ses talents de conducteur en pleine ville. Jusque-là, il ne correspondait en rien à ce à quoi elle s'était attendue. Ce qui était loin d'être une bonne chose dans le cadre de sa mission.

Mannon se gara sur sa place de parking réservée dans le garage souterrain, vint ouvrir la portière de Macie, puis ouvrit le chemin vers l'ascenseur.

— Bienvenue chez nous, dit-il en ouvrant la porte de l'appartement.

Macie pénétra dans l'entrée en marbre.

— C'est magnifique ! dit-elle en s'efforçant de cacher son ébahissement. Et vous êtes si bien situé !

Elle aperçut une salle à manger avec plancher en bois et hauts plafonds décorés de moulures. À côté se trouvait une grande pièce à la moquette beige, meublée d'un canapé rembourré en cuir, de fauteuils assortis et d'une petite table au plateau en verre. Comme Mannon l'avait promis, un énorme écran plat fixé au mur dominait le salon. Les rideaux tirés révélaient des portes-fenêtres coulissantes avec vue panoramique sur le Kennedy Center. Recracher des doctrines conservatrices payait bien : cet endroit avait dû coûter un max.

Il jeta ses clés de voiture sur la table du couloir.

— Je me sens encore un peu à l'étroit, mais je commence à m'habituer.

Macie manqua de s'esclaffer. À l'étroit ? Son studio de cinquante mètres carrés de l'East Village tiendrait aisément dans son entrée. Mais, plutôt que de le dire, elle se retourna pour étudier un paysage abstrait peint à l'huile qui couvrait presque toute la surface du mur opposé. À part quelques photos encadrées posées çà et là, les pièces principales étaient dépourvues d'objets décoratifs ramasseurs de poussière ; ce serait plus facile de faire en sorte que l'appartement soit propre.

Mannon appela Samantha, déjà dans le salon avec la télécommande à la main.

— Sam, je dois parler à Mlle Gray. En privé.

Macie leva la tête et vit Samantha hausser les épaules.

— Faites-vous plaisir, rétorqua l'adolescente.

Elle lâcha la télécommande et s'éloigna d'un pas lourd dans un couloir. Quelques secondes plus tard, une porte claqua.

Mannon se pinça l'arête du nez. Il semblait fatigué. Elle fut de nouveau saisie par l'envie de l'aider, de l'apaiser. Mais faire en sorte que Ross Mannon se sente mieux ne rentrait pas dans le cadre de la mission Opération Cendrillon, aussi aimable, charmant et, d'accord, super sexy soit-il.

Il désigna le canapé.

— Asseyez-vous, mademoiselle Gray. Puis-je vous offrir quelque chose ? Un café, un thé, du Coca ?

Un shot de téquila. La gravité de son ton la priva de toute son assurance, et son ventre se noua. Avait-elle réagi de manière excessive à l'incident du ketchup ou n'avait-elle pas réagi assez fermement ? Et ensuite avait-elle trop ou trop peu parlé ? Elle croisa son regard, et les ombres qu'elle vit dans ses yeux lui rappelèrent les pires moments de sa vie depuis le lycée, du moment où elle n'avait « pas su être à la hauteur de son potentiel » jusqu'à toutes les fois où elle avait simplement échoué.

Debout dans l'ombre du tableau démesurément grand, elle secoua la tête.

— Non, merci.

— Cela vous dérange si je me fais un café ?

En vérité, cela la dérangeait, énormément. S'il choisissait de ne pas l'engager, elle préférerait qu'il lui dise rapidement pour qu'elle en finisse et dégage de là pour rentrer à Manhattan, où était sa place. Mais le choix ne lui appartenait pas.

— Allez-y…, je vous en prie.

Elle laissa tomber son sac et le suivit dans la cuisine américaine, où elle s'assit sur un tabouret de bar.

Il s'affaira, ouvrant et refermant les tiroirs, jurant dans son souffle, maudissant son incapacité à trouver les filtres à café. Il venait d'ouvrir le tiroir de couverts pour fouiller lorsqu'il releva la tête pour la regarder.

— Vous êtes certaine que je ne peux rien vous offrir ?

Nerveuse et impatiente, Macie secoua la tête.

— Docteur Mannon, si vous avez quelque chose à me dire, je vous en prie, dites-le-moi tout de suite.

— Vous avez raison, acquiesça-t-il en posant la cuillère-mesure à café pour lui faire face. Avant tout, je voudrais m'excuser pour l'attitude de ma fille. Ce genre d'impolitesse est impardonnable.

N'ayant pas l'habitude de recevoir les excuses d'un homme, Macie ne sut comment réagir.

— Sam traverse visiblement une période difficile.

Bon Dieu, c'était exactement le genre de platitude qu'elle détestait ! Mannon soupira.

— J'ai bien peur qu'il n'y ait autre chose, dit-il en remplissant la cafetière d'eau à l'évier. Je ne voudrais pas que cela se sache, mais Sam vit avec moi parce qu'elle a fugué de chez sa mère à Manhattan.

Cette révélation ramena Macie des années en arrière. Plus jeune, elle aussi avait fugué. Deux mois avant son dix-septième anniversaire, elle était partie vers Chicago et était arrivée à mi-chemin quand la voiture était tombée à court d'essence. Elle avait dû faire le plein avec la carte de crédit de son père, que ses parents suivaient à la trace. La police l'avait rattrapée et ramenée chez elle. La fois suivante, elle s'était assurée de prendre ce qui, pour une jeune de seize ans, semblait être une grosse somme d'argent. Ce qui n'était pas le cas. Cette fois-là non plus, elle n'était pas arrivée à Chicago. Elle s'entendit répondre à Mannon :

— Quand un enfant fugue, il y a presque toujours une raison.

La raison qui avait poussé Samantha à fuir serait peut-être le nœud de son article juteux pour *On Top*.

Mannon retourna vers la cafetière posée sur le comptoir en granit.

— Je suis d'accord, dit-il en mesurant le café. Malheureusement, chaque fois que j'essaie de lui demander ce qui s'est passé, elle se fige et menace de s'enfuir. Elle me fait du chantage émotionnel, et ça marche.

Il alluma la cafetière et se tourna vers elle. Stupéfaite par la vulnérabilité qui se lisait sur son visage, elle fit de son mieux pour garder une expression neutre et le contrôle de son empathie.

— Au moins, elle a eu le sentiment qu'elle pouvait venir vers vous, poursuivit-elle en espérant le faire parler de son divorce. Elle doit vous faire confiance, à un certain niveau.

Il passa une main dans ses cheveux blonds, et elle se demanda s'ils étaient aussi doux qu'ils en avaient l'air.

— Jusqu'à il y a un an, nous avions une putain de…, pardonnez-moi, une bonne relation. Maintenant, je ne sais plus. La conseillère d'orientation de l'école, à New York, semble elle aussi déconcertée. Elle nous a conseillé d'emmener Sam chez le psychologue. C'est de chez lui que nous sortions ce midi, avoua-t-il en secouant la tête. Aujourd'hui, j'ai l'impression qu'Ozzy Osbourne est un meilleur père que moi. Il a peut-être étêté des chauves-souris et uriné sur un monument honorant les morts d'Alamo, il a également été marié à sa seconde femme pendant trois décennies, et ses enfants et petits-enfants le vénèrent. Je devrais peut-être lui demander de me remplacer le temps que je comprenne comment être un bon père.

Elle ne s'était pas attendue à ce qu'il soit aussi humble, aussi honnête et aussi dur envers lui-même. Et elle ne s'était absolument pas attendue à ce qu'il ait autant d'humour ! Les mots « le gros lot » lui revinrent à l'esprit, mais elle s'efforça de ne pas y penser. Elle ne pouvait pas se permettre d'apprécier Ross Mannon. Plus que tout autre bémol dans son plan, apprécier cet homme mettrait sérieusement sa mission en danger. Ainsi que sa santé mentale.

— Docteur Mannon, pourquoi me dites-vous tout cela ?

Il n'hésita pas.

— Pour que vous sachiez à quoi vous aurez affaire si vous acceptez ce poste.

— Voulez-vous dire que le job est à moi si je le veux ? demanda-t-elle, le cœur battant.

Son regard intense et sérieux croisa le sien.

— Oui, mademoiselle Gray. C'est exactement ce que je veux dire.

Il lui adressa de nouveau ce sourire en coin sexy qui était devenu si familier au fil de l'après-midi.

— La question, c'est qu'est-ce que vous en dites ?

Son ventre cessa de papillonner, son cœur se gonfla. Ross Mannon l'engageait ! L'Opération Cendrillon était en marche ! Quel que soit le test qu'il lui ait fait passer, elle avait visiblement réussi, et haut la main. Le regard toujours rivé sur le sien, elle eut la sensation qu'on avait agité une baguette magique pour faire avancer le carrosse. Soudain, la vie était, sinon enchantée, du moins agréable pour la première fois depuis très longtemps. Elle sourit et lui tendit la main.

— Quand puis-je commencer ?

Chapitre 4

Macie était rentrée à New York ce soir-là et s'était immédiatement mise au travail, soit à préparer ses valises. Une fois que ce fut chose faite, tous les éléments de l'Opération Cendrillon se mirent en place comme par magie. Sa rédactrice adjointe, Terri, venait de se séparer de sa colocataire et cherchait un logement à court terme. Ainsi, comme elle allait garder son appartement, s'occuper de Stevie et garder sa seule plante verte en vie, Macie lui avait donné les clés sans lui demander de loyer. Même faire ses bagages, chose qu'elle redoutait, avait été facile. À part son ordinateur, ses nouvelles fringues et ce qu'elle considérait désormais comme ses souliers de Cendrillon, elle n'avait pas grand-chose à prendre.

Dire au revoir à ses amis fut beaucoup plus difficile. Franc et Nathan l'avaient emmenée dîner dans son restaurant indien favori pour sa dernière soirée en ville. Elle utilisa son train matinal comme excuse pour rentrer tôt, mais en vérité elle voulait passer du temps à câliner Stevie – du nom de Stevie Wonder – avant de partir. Depuis qu'elle l'avait arraché du refuge l'année précédente, ils étaient devenus inséparables. Chat de gouttière en piteux état auquel il manquait un œil, il avait été jugé « inadoptable » et devait être euthanasié. Heureusement, l'homme chargé de faire la chose s'était fait porter pâle le jour où Macie s'était rendue au refuge après sa journée de travail. Elle avait posé un seul regard sur Stevie, rampant dans sa cage rouillée pour frotter sa petite tête noire et blanche contre sa main, et était tombée raide dingue de lui.

Dommage que ce ne soit pas aussi facile avec les hommes.

Le lendemain, assise en deuxième classe d'un train Amtrak en direction de Washington D.C., elle songea que le jour J était arrivé : il n'y avait plus rien à planifier et tout à faire. Perdue dans ses pensées, les trois heures et demie de trajet filèrent en un éclair.

Cette fois, ce fut Stefanie qu'elle retrouva à la sortie de la gare. Avec ses cheveux noirs tressés, son jean et un pull ample couvrant sa silhouette pulpeuse, Stef n'avait pas beaucoup changé depuis l'université. Évidemment, on ne pouvait pas en dire autant de Macie. Stef l'aurait dépassée sans la voir si Macie ne lui avait pas tapé sur l'épaule.

— Mace ? s'étonna Stef, les yeux écarquillés derrière ses lunettes en écaille de tortue. C'est toi ?

— En chair et en os.

Macie posa sa valise et ouvrit les bras. Elles s'étreignirent, et soudain ce fut comme si elles étaient de nouveau à la fac, colocataires et meilleures amies pour la vie. Stef s'écarta et regarda son amie des pieds à la tête.

— Tu es superbe. La dernière fois que je t'ai vue, tes cheveux étaient… roses, je crois.

Macie sourit. Être un caméléon en matière de style était une grande fierté.

— Que puis-je dire ? J'aime surprendre mes amis.

— Dans ton mail, tu dis que tu restes six semaines pour un genre de mission incognito. Ce doit être assez important pour que tu aies besoin d'un chef cuistot.

Macie repéra un *Starbucks*.

— Et si je te payais un café ? On pourra parler des détails comme ça.

Stefanie sourit. Avec les bonbons, le café était une de ses faiblesses.

— Si tu m'offres un grand moka crème, alors pas de problème.

Quelques minutes plus tard, installée à l'une des tables du café, ses bagages entassés autour d'elles, Macie lui expliqua les bases de l'Opération Cendrillon.

Sans surprise, Stef sembla choquée, et pas qu'un peu.

— D'accord, voyons si j'ai bien compris. Tu vas t'installer chez ce mec en te faisant passer pour une gouvernante pour pouvoir fouiner, jusqu'à ce que tu trouves assez d'infos croustillantes pour que ça mérite d'en faire un article ?

Macie hocha la tête.

— En gros, oui.

À l'entendre de la bouche de son amie, sa mission ne semblait pas très noble.

Stef lécha la crème fouettée qu'elle avait à la commissure des lèvres avant de répondre.

— Écoute, Mace. Tu sais que je n'aime pas jouer les rabat-joie, mais comment comptes-tu t'en sortir ? La dernière fois que je t'ai rendu visite à New York, tout ce que tu avais dans ton frigo, c'était un pack de Coca Light et un pot de mayonnaise périmé.

— C'est là que tu interviens.

— Tu as donc besoin que je sois ton chef de l'ombre, comprit Stef.

Macie hocha la tête.

— L'immeuble a un ascenseur de service. Il faut juste qu'on te fasse entrer en douce avec la bouffe. Mannon m'a envoyé par mail le planning de sa semaine, et je crois qu'il tient à ses petites habitudes. Pendant la semaine, il est au travail jusqu'à 18 heures, et la gamine est inscrite dans une école privée et à un paquet d'activités extrascolaires qui feront qu'elle sera souvent absente. Il faut juste qu'on trouve un système pour que tu apportes le dîner vers, disons, 16 heures, et je le réchaufferai plus tard.

Stef écarquilla les yeux.

— Ce qui fait plus de deux heures entre la livraison et le service ! C'est difficile de faire en sorte que la viande ne sèche pas, et les sauces deviennent grumeleuses quand…

— Eh, il ne s'attend pas à un repas de grand chef, juste à quelqu'un qui sait cuisiner des plats de base.

Stefanie soupira.

— Mais la nourriture, même la plus basique, c'est bien plus qu'une subsistance. Manger est une expérience sociale et sensuelle. Une communion qui engage le corps et l'âme…

Macie sirota son café crème et laissa son amie s'enthousiasmer. Pour Stefanie Stefanopoulos, la nourriture n'était pas seulement de la nourriture. C'était une passion. Macie avait entendu différentes versions de ce sermon durant les quatre années d'université pendant lesquelles Stef et elle avaient logé ensemble. Jeune fille sage obéissant d'ordinaire aux règles, Stefanie avait fait entrer en douce dans leur dortoir une plaque chauffante et un micro-ondes pour créer des en-cas savoureux à partir de bric-à-brac piqué dans le réfectoire ou acheté au supermarché du coin. Désormais équipée d'une cuisine ultramoderne et des ingrédients les plus fins en provenance directe de la ferme, Stef aurait dû être en train de vivre un vrai conte de fées gourmet. À l'exception près qu'il n'y avait pas de prince pour partager ses festins fabuleux, seulement son père veuf et sa deuxième famille : une bête-mère et ses deux gremlins de filles, suivant toutes constamment de bien tristes régimes.

— Et le week-end ? demanda Stef.

Macie hésita.

— Je vais devoir trouver une solution une fois que j'y serai, mais je suppose qu'il travaille beaucoup, peut-être même qu'il va au bureau quelques heures pendant ses jours de congé. S'il était à la maison, il n'aurait pas besoin de quelqu'un pour surveiller sa fille, si ? Et tous les gamins aiment la pizza ! Oh, au fait, elle est végétarienne.

— C'est bon à savoir, dit Stef en la scrutant intensément. Tu es sûre que tu sais ce que tu fais ?

— Non, admit Macie, mais cela ne m'a jamais arrêtée auparavant. Et cette fois j'ai un budget pour me soutenir. Je te paierai deux fois tes honoraires.

— Merci, mais ne t'inquiète pas pour ça. J'en fais toujours trop de toute façon. Peut-être que ton magazine pourrait faire un don au centre pour sans-abri auquel je donne mes restes ?

Macie lui fit un grand sourire. Elle ne pouvait répondre d'*On Top*, mais elle ferait elle-même le don.

— C'est comme si c'était fait !

Faire tomber un de ces porcs de conservateurs et aider les gens : l'opération Cendrillon devenait une mission caritative.

— Avant que j'oublie…, commença Stef en sortant de sa poche une carte de visite portant un logo avec un balai dansant. Une de mes amies a un service de ménage à domicile. Son équipe fait du super boulot, et ses employées sont toutes des personnes de confiance. Dis-lui que tu l'appelles de ma part, elle te fera une réduction.

Macie prit la carte et la mit dans son sac.

— Merci, Stef. T'es la meilleure. Je n'ai plus qu'une seule question à te poser.

Stef sourit.

— Laisse-moi deviner. Qu'est-ce qu'on mange ce soir ?

Mannon avait laissé un jeu de clés pour Macie à la réception de son immeuble. Elle prit mentalement note d'en faire des doubles pour Stef et le service de ménage, puis se dirigea vers l'ascenseur. Un portier en uniforme à l'air avenant se chargea de ses bagages et la conduisit jusqu'à l'ascenseur des résidents. Elle lui donna un pourboire de 5 dollars, se demandant si c'était trop ou trop peu, ou juste assez. Elle s'était toujours demandé ce que ressentaient les gens qui vivaient dans un immeuble avec du personnel à disposition. À présent qu'elle en faisait l'expérience, pour six semaines du moins, elle était intimidée.

La note écrite de la main de Mannon, qu'il avait laissée sur le bar, l'informa qu'il rentrerait à 19 heures et que Sam passait la nuit chez une amie pour lui laisser la soirée pour s'installer. *Comme c'est aimable*, pensa-t-elle avant de se rappeler qu'elle ne devait pas se laisser troubler par des sentiments malvenus. Mannon avait dû organiser la soirée selon ce qui l'arrangeait lui, pas pour l'arranger, elle.

Elle vagabonda dans l'appartement, effleurant les meubles du bout des doigts, mémorisant l'agencement des couloirs et des pièces, la texture des tissus et l'emplacement des équipements. Les pièces étaient si spacieuses et les plafonds si hauts qu'il était même difficile de croire qu'elle se trouvait dans un appartement.

Elle ouvrit une porte et sut instantanément qu'elle était tombée sur la chambre de Samantha Mannon.

Cette pièce n'avait pas fait partie de la visite de l'autre jour, et elle comprenait pourquoi. Le désordre typique des chambres d'ados qui y régnait avait de quoi rendre un adulte fou : lit défait, piles de linge sale et serviette de toilette humide jetée sur le sol. Le bazar ne gênait pas Macie, mais elle devrait certainement réprimander Samantha, ne serait-ce que pour jouer son rôle.

Elle envoya un message à Stef pour l'informer qu'elle pouvait repousser la livraison du dîner à 18 heures, puis se rendit dans sa chambre, un grand espace agréable qu'elle avait aperçu lors de sa dernière visite. Le lit en fer queen size était couvert d'une simple couette blanche, et le plancher d'un tapis à imprimé floral. La commode blanche élimée et la table de chevet assortie étaient dénuées d'objets décoratifs. La double fenêtre, équipée de stores bateau, donnait non pas sur la ville mais sur une cour intérieure, même si, bien sûr, elle n'était que « l'aide à domicile ». Mais, en ce qui la concernait, le must de ses nouveaux quartiers était la salle de bains attenante à sa chambre. Être en mission secrète était une chose, vivre vingt-quatre heures sur vingt-quatre avec l'objet de ses investigations en était une autre. Même Woodward et Bernstein rentraient chez eux le soir. L'idée de se disputer la salle de bains avec Samantha, ou son père d'ailleurs, l'avait inquiétée, elle devait bien l'admettre. Bonus : elle n'aurait pas besoin de courir acheter une veilleuse. Elle dormirait avec la lumière de la salle de bains allumée, comme elle le faisait chez elle.

Elle pendit ses vêtements dans le dressing, rangea quelques affaires dans la commode et posa ses chaussures, y compris ses souliers rouges vintage, sur le sol du dressing. Enfin, elle installa une photo encadrée de Stevie sur sa table de chevet. Cela éveilla en elle un sentiment de nostalgie, qu'elle décida de chasser en se détendant avec une bonne douche.

Un peu plus tard, face au miroir couvert de buée de la salle de bains, une serviette blanche enroulée autour de ses cheveux propres, elle inspira profondément. Le pire était derrière elle. Elle était là. Elle avait réussi. Désormais, il ne lui restait plus qu'à être une bonne journaliste d'investigation, ce qui signifiait en l'occurrence qu'elle devait se glisser dans la peau de la jeune fille douce et gentille pour laquelle elle se faisait passer et vivre à Washington pour les six semaines à venir. Pour certains, cela ne serait pas une mince affaire.

Mais Macie était la meilleure quand il s'agissait de devenir quelqu'un d'autre.

Ross pénétra dans l'appartement à 18 h 45, le ventre noué, saisi par un sentiment d'impatience vague mais persistant. Même s'il ne s'était pas arrêté pour vérifier auprès du portier que la nouvelle arrivante était bien là, les odeurs alléchantes émanant de sa cuisine lui annoncèrent que, désormais, Samantha et lui ne seraient plus seuls. Martha Jane Gray était arrivée.

Elle le retrouva dans le salon, très jolie dans sa robe fourreau à fleurs ; il savait que c'était une robe dite « fourreau » à cause de son ex-femme, photographe et fashion victim.

— Vous rentrez tôt.

La voix légèrement rauque de Mlle Gray lui fit penser à l'acte sexuel, et notamment à l'instant qui suivait le rapport intime, lorsque les corps étaient satisfaits et les draps humides, lorsqu'il n'y avait plus rien à dire puisque tout avait été dit… physiquement. Le sexe n'était pas exactement un souvenir lointain, mais cela faisait un moment qu'il n'avait pas eu de femme dans sa vie. Voir Mlle Gray se mouvoir dans son appartement comme si elle était chez elle, ce qui était le cas dorénavant, lui fit penser qu'il était peut-être temps de s'y remettre… avec une femme de son âge et dont il ne serait pas le patron.

Heureux qu'elle ne puisse lire dans ses pensées, il posa sa serviette.

— La réunion de 16 heures qui commence toujours à 17 heures et ne finit jamais avant 19 heures a été annulée, expliqua-t-il en ouvrant le bouton de sa veste marine, impatient de s'en débarrasser. Vous avez fait bon voyage ?

Cela l'intéressait sincèrement, mais il voulait aussi absolument cesser de penser à son physique si désirable, à son parfum enivrant et au goût que ses lèvres pourraient avoir. *Pas bien, Ross, pas bien du tout !*

— Oui, merci.

Elle s'approcha de lui, ses beaux cheveux blonds encadrant son visage à peine maquillé d'une touche de blush et d'un soupçon de rouge à lèvres rose pâle.

— Permettez, dit-elle en se glissant derrière lui.

Ses mains féminines, délicates mais compétentes, se posèrent brièvement sur ses épaules pour l'aider à enlever son manteau, civilité démodée que plus personne ou presque ne pratiquait. Pris par surprise, Ross s'efforça de nouveau de ne pas penser à son parfum agréable (étaient-ce vraiment seulement du savon et du shampooing ?) ni à la magie que ses doigts créeraient à des endroits plus... sensibles de son corps.

Elle recula et revint se placer face à lui, le manteau plié sur l'avant-bras.

— Le dîner est bientôt prêt. J'espère que vous aimez le rôti en cocotte.

Ross n'aimait pas le rôti en cocotte. Il adorait ça.

— Je ne pensais pas que vous cuisineriez le premier soir, dit-il, même s'il était ravi qu'elle l'ait fait.

Elle balaya sa remarque d'un geste désinvolte.

— Cuisiner m'aide à me sentir chez moi. Je vous appelle quand c'est prêt si cela vous convient ?

Ross hocha la tête.

— Parfait, je serai dans mon bureau.

Il ramassa son attaché-case et se dirigea vers le couloir.

— Désirez-vous boire quelque chose ? lui demanda-t-elle alors qu'il s'éloignait. Une vodka Martini, c'est ça ?

Elle était trop parfaite pour être vraie !

— Euh… ce serait formidable, merci, répondit-il.

Comment connaissait-elle son cocktail préféré ? Ce n'était pas précisé sur son site Internet. Il rouvrit la bouche pour ajouter : « avec des zestes de citron » et se tut en entendant la voix de Martha Jane faire écho à ses pensées.

— Vous êtes voyante ou quoi ? plaisanta-t-il.

— J'aimerais bien ! s'exclama-t-elle en lui adressant encore un de ses sourires délicieusement flegmatiques. Mais non. J'ai seulement vu une vidéo sur Internet où vous étiez à un gala de bienfaisance avec un Martini à la main et…

Elle se tut et baissa les yeux, ses longs cils effleurant ses pommettes hautes.

— Je me comporte comme une vraie groupie, n'est-ce pas ? Autant l'admettre, je l'ai noté sur mon agenda. J'espère que cela ne vous dérange pas.

Elle se mordit la lèvre, ces lèvres pleines pareilles à celles d'Angelina Jolie, et Ross eut soudain la bouche sèche.

Une groupie, hein ? Dans son premier mail, elle avait dit qu'elle aimait son émission, mais il avait été trop occupé à évaluer son potentiel professionnel pour réfléchir plus avant au compliment.

— C'est très consciencieux de votre part, dit-il, à la fois flatté et gêné.

Elle leva le bras où était toujours plié son manteau.

— Je vais pendre ça pour qu'il ne se froisse pas, puis je vous apporte votre verre.

Elle fit demi-tour. Tout comme cela faisait longtemps qu'il n'avait pas fait l'amour, cela faisait longtemps qu'on ne s'était pas occupé de lui ainsi. Ne sachant pas exactement comment il devait réagir, il la suivit.

— Vous n'êtes pas obligée de me servir.

Elle se retourna si subitement qu'ils faillirent se percuter. Ross n'avait pas besoin de miroir pour savoir qu'il rougissait. La chaleur qu'il ressentait ne trompait pas. Il la regarda, mais son petit sourire était aussi révélateur que celui de Mona Lisa.

— Bonté divine, on n'est pas passés loin, souffla-t-elle en lissant de sa main libre les plis imaginaires de sa robe parfaitement repassée. Cela ne me dérange pas. De plus, vous me payez, vous vous rappelez ?

Son sourire s'élargit, révélant une fossette sur son menton. Les yeux rivés sur cette adorable entaille, il concéda :

— Eh bien, si vous en êtes sûre !

Faisant demi-tour pour rejoindre son bureau, Ross se félicita. Cela n'arrivait pas souvent, mais pour l'instant Martha Jane Gray surpassait ses attentes. Le seul écueil possible venait de lui. Elle était si charmante et agréable, et oui, si jolie, qu'il serait facile d'oublier qu'elle était son employée et qu'il l'avait engagée avant tout pour Samantha. Sam. Ses esprits retrouvés, il entra dans la pièce, s'assit derrière son bureau et ouvrit son ordinateur.

— Je l'ai fait au shaker, à la James Bond.

Ross faillit sauter au plafond. Il leva les yeux ; Martha Jane se tenait sur le palier, un verre de Martini plein à ras bord à la main.

— C'était rapide, dit-il en se redonnant une contenance.

Il n'était pas James Bond mais commençait à se demander si Martha Jane n'était pas un genre de Wonder Woman.

— J'ai financé mes études grâce à un petit boulot de serveuse.

Elle s'approcha de son bureau et posa le verre près du sous-main sans en renverser une goutte.

— Impressionnant, dit-il, sans plus penser au verre. Les hommes et femmes qui réussissent par leurs propres moyens sont les piliers de ce pays, ajouta-t-il, à la fois pour la mettre à l'aise et parce qu'il le pensait sincèrement.

Sa famille faisait partie de la classe ouvrière ; son grand frère, Ray, avait été le premier Mannon diplômé depuis très longtemps. Ross et lui avaient pu faire leurs études grâce à l'aide de bourses scolaires et à un patchwork de toutes sortes de petits boulots étranges. Le travail physique était un enfer pour les mains, mais cela forgeait les muscles et le caractère. Davantage de gens devraient essayer. Dès qu'il aurait le sentiment que Samantha en était capable et qu'il n'aurait plus besoin de la surveiller tel un faucon, il ferait en sorte qu'elle travaille le week-end, ou bien elle continuerait à penser que l'argent poussait sur les arbres… et qu'elle vivait dans une sorte de forêt enchantée.

— Merci, dit-elle en se redressant avant de reculer d'un pas. L'astuce, c'est de toujours regarder droit devant soi, jamais à ses pieds. Si on doute de soi, on est perdu.

— Ça me paraît être un excellent conseil, songea-t-il à voix haute. Vous devriez peut-être écrire un livre.

Elle hésita, l'air soudain adorablement timide.

— Oh, je ne crois pas que j'en serais capable !

— Vous pourriez être surprise.

Perdu dans ses yeux bleu-gris, il prit le verre, qui déborda. *Quel empoté !*

— Comme vous pouvez le constater, je serais bien incapable d'être serveur, pesta-t-il en secouant la main.

Une serviette en papier se matérialisa dans la main de Martha Jane. D'un geste rapide et efficace, elle essuya le liquide renversé puis recula. Il parvint à porter le verre à ses lèvres, sans incident cette fois, et prit une gorgée.

— C'est si bon que je pourrais croire que vous avez été barmaid.

Elle s'esclaffa, et ce son rappela à Ross le carillon éolien pendu sous le porche de la maison de sa mère.

— Absolument pas. Je me suis contentée de regarder la recette sur Internet et de la suivre.

Il baissa les yeux vers les mains vides de la gouvernante.

— Vous ne vous joignez pas à moi ?

— Non, je travaille. Et… je ne bois pas tellement d'alcool, lui confia-t-elle après un moment d'hésitation.

Bien sûr qu'elle n'allait pas picoler. Venant d'une petite ville, elle avait certainement été élevée au thé des réceptions paroissiales. Cela ne l'aidait pas que son innocence et ses valeurs solides soient livrées avec le corps d'un mannequin de Victoria's Secret.

Une sonnerie stridente le ramena sur la planète Terre.

— C'est le minuteur du four, expliqua-t-elle en se tournant vers la porte. Le dîner est prêt. Allez donc vous mettre à l'aise dans la salle à manger.

Ross secoua la tête.

— Je n'ai jamais vu un seul repas sortir de ce four haut de gamme. Pas question que je rate ça, dit-il en la suivant.

Mme Alvarez leur avait toujours laissé des plats tout prêts dans le réfrigérateur.

Martha Jane se mordit la lèvre.

— Dans ce cas, vous pourriez peut-être ouvrir le vin. J'ai bien peur de ne pas avoir assez d'entraînement, et votre tire-bouchon me paraît un peu compliqué.

Ross ne se rappelait pas que son tire-bouchon soit spécial, mais, heureux d'apporter son aide, il répondit :

— Pas de souci.

Il dépassa le bar et entra dans la cuisine, s'attendant à un chaos culinaire. Les rares occasions où son ex-femme avait fait autre chose que de réchauffer des plats au micro-ondes, leur cuisine avait pris l'allure d'un vrai champ de bataille. Cependant, à sa grande surprise, tout était nickel. Nickel chrome, même. Les casseroles et poêles étaient pendues à leurs crochets sur le mur, et il n'y avait pas même une cuillère sale sur le plan de travail. L'eau à la bouche, il huma la bonne odeur du bœuf rôti.

— Votre rôti sent très bon.

Elle sourit.

— Espérons qu'il est aussi bon qu'il en a l'air. C'est la recette de ma mère, avec du romarin et des oignons grelots, et j'ai fait des pommes de terre au beurre persillé et des petits pois en accompagnement. Oh, et des petits pains aussi, bien sûr !

Il n'en revenait pas.

— Vous avez fait des petits pains ?

Elle hocha la tête avec désinvolture, et Ross entrouvrit la porte du four. À l'intérieur, il découvrit une plaque de cuisson couverte de pains moelleux faits maison. Comme sa mère en faisait.

— Il y a aussi un dessert, mais c'est une surprise.

Son sourire taquin provoqua des sensations étranges dans son ventre.

— Parfait. J'adore les surprises.

Je vous adore, fut-il tenté d'ajouter. Mais au lieu de cela il tendit les mains.

— Mettez-moi au travail. Où est ce vin qu'il faut ouvrir ?

Ross écarta sa chaise de la table et posa sa main sur son ventre, qui était miraculeusement toujours aussi plat malgré l'assiette pleine qu'il venait de terminer.

— Si vous continuez à me nourrir ainsi, je vais devoir renouveler mon abonnement à la salle de sport.

Macie se retint de pouffer. De qui se moquait-il ? Avec sa volonté de tout avoir sous contrôle, il devait aller faire de l'exercice tous les jours à la salle de sport de son bureau.

Elle lui adressa un sourire doucereux et cita ce que sa mère disait dans une telle situation.

— Après une dure journée de travail, vous méritez qu'on vous prépare un bon repas.

Pour chasser l'amertume que ces mots provoquaient en elle, elle s'autorisa à boire une gorgée du merlot qu'il lui avait servi.

Le visage de Mannon s'éclaira d'un sourire. Elle avait déjà vu ce sourire deux fois : d'abord sur son site Internet, puis lors du repas la semaine précédente lorsque sa fille avait dit quelque chose qui l'avait à la fois amusé et exaspéré, mais c'était la première fois qu'il lui était destiné. La puissance de son sourire et l'intensité de ses yeux si bleus rivés sur elle lui donnèrent l'impression qu'elle était restée trop longtemps dans le solarium : elle était désorientée, avait la bouche sèche et se sentait étourdie ; heureusement qu'elle était assise.

— Vous êtes visiblement une jeune femme qui a le sens des priorités.

Il prit son verre et fit tourner le liquide rubis à l'intérieur, incarnation de la satisfaction masculine.

Était-ce donc si facile ? Tout ce que les hommes voulaient d'une femme, c'était qu'elle minaude et soit soumise ? À cette pensée déprimante, elle regarda le verre de Martini que Ross n'avait pas fini et se demanda si elle pourrait le siphonner sans se faire prendre une fois qu'il serait parti.

— Merci, docteur Mannon. J'apprécie, même si certains y verraient un commentaire sexiste.

Il haussa les épaules comme si les opinions des autres étaient le cadet de ses soucis.

— Je considère que les hommes et les femmes sont foncièrement et biologiquement différents. Si certains considèrent cela comme du sexisme, soit.

Elle se hérissa.

— En d'autres mots : vive la différence ?

Il hocha la tête d'un air approbateur.

— Les hommes de votre âge doivent être bien idiots de ne pas vous avoir sauté dessus. Une belle femme accomplie avec de telles valeurs, ça ne court pas les rues.

— Je suppose que je n'ai pas encore rencontré le bon, répondit-elle d'une voix aiguë, comme s'il n'y avait plus d'oxygène dans la pièce.

Venait-il vraiment de dire qu'elle était une belle femme ? Gardant cette pensée à l'esprit pour y réfléchir plus tard, elle considéra l'assiette de Ross, propre comme un sou neuf, et se leva.

— Si vous avez fini, je vais débarrasser et servir le dessert.

Elle fut surprise de le voir se lever.

— Laissez-moi vous aider.

Ross Mannon proposait de faire les corvées ? Vraiment ?

— Merci, mais je m'en occupe. Vous avez travaillé toute la journée.

— Comment appelez-vous tout cela ? demanda-t-il en montrant les restes de rôti et les plats à moitié vides. Tout ça demande beaucoup de travail.

Son sourire sincère lui fit presque regretter de ne pas avoir cuisiné elle-même les petits pains moelleux ni épluché ne serait-ce qu'une patate, ou deux.

— D'accord, mais contentez-vous de poser les assiettes dans l'évier. Je les mettrai dans le lave-vaisselle plus tard ; sinon, vous allez gâcher la surprise.

— C'est d'accord. À condition que vous me laissiez préparer le café.

Macie hésita.

— Très bien, je vais sortir un filtre. Vous n'aurez plus qu'à ajouter deux tasses d'eau et à appuyer sur « Marche ».

— Ça, je peux le faire, dit-il en la suivant dans la cuisine.

Là, elle attrapa une manique et sortit son arme secrète, la tourte à la pêche de Stefanie. Suivant les instructions de son amie, elle avait laissé le plat couvert de papier aluminium au chaud. S'efforçant de faire abstraction de la présence de Mannon, elle posa le plat sur la cuisinière et retira doucement l'aluminium. De la vapeur s'échappa, et le parfum des pêches cuites dans le sucre emplit la cuisine, souvenir olfactif alléchant de son enfance. Elle coupa l'épaisse pâte du dessus pour servir deux parts généreuses dans les bols qu'elle avait sortis, puis ajouta une boule de glace à la vanille dans chacun.

— Hmm, laissa échapper Mannon en s'interrompant dans la préparation du café. Est-ce que c'est… ?

— Une tourte à la pêche, répondit-elle avant de le contourner pour regagner la salle à manger, un bol dans chaque main. J'espère que vous aimez les pêches, dit-elle, sachant parfaitement que c'était le cas.

Faire des recherches poussées sur son sujet était une règle capitale du journalisme. En se renseignant sur la famille de Mannon au Texas, elle avait trouvé une tonne d'informations. Apparemment, la tarte aux pêches de sa mère avait remporté la première place du concours du comté de Lamar presque tous les ans ces trente dernières années.

Il posa les cafés mais resta debout. Il lui tira sa chaise et attendit qu'elle soit installée pour aller s'asseoir. Même en sachant que c'était un gentilhomme de la vieille école, bénéficier de ses manières si irréprochables était… troublant.

— Vous êtes sûre de ne pas être voyante ?

Surprise, elle laissa tomber sa serviette.

— Voyante ? Pourquoi dites-vous cela ?

Il était parano ou quoi ?

— Depuis que je suis petit, j'ai un faible pour la pêche. Glace à la pêche, confiture de pêches et surtout tarte à la pêche.

Il lui adressa un sourire prouvant qu'il était sincère, qu'il ne disait pas cela simplement par gentillesse, et elle se détendit, fière de lui avoir fait plaisir, ce qui était absurde vu les circonstances, et même périlleux.

Muselant ses sentiments, elle prit sa fourchette et l'enfonça dans la pâte.

— J'aurais parié sur les pommes.

Le sarcasme lui avait échappé spontanément. *Merde!* Elle jeta un coup d'œil vers Ross pour voir s'il était fâché, mais son sourire était toujours là.

— Je n'ai jamais aimé les pommes cuisinées. Et puis la tarte aux pommes, c'est anglais à la base, ajouta-t-il.

Elle éclata de rire, pour de vrai cette fois.

— Pourtant, l'*apple pie* est un véritable symbole de la cuisine américaine !

— Oui, c'est vrai, admit-il avec un sourire.

Même si elle méprisait ses opinions politiques et tout ce qu'il représentait, elle ne pouvait pas nier qu'en tête à tête Ross Mannon était un homme extrêmement sympathique.

Il se focalisa sur son dessert et en prit une bonne bouchée qu'il savoura, les yeux fermés. L'expression qui se peignit sur son visage était d'ordinaire réservée à un homme qui aurait gagné au loto ou viendrait d'avoir un rapport sexuel époustouflant. Macie en eut l'eau à la bouche.

Il ouvrit les yeux, et elle baissa vivement les yeux vers son propre dessert, encore intact.

— Cette tarte pourrait concurrencer celle de ma maman, mais promettez-moi de ne jamais lui dire que je vous ai dit ça.

Macie doutait d'avoir un jour l'occasion de rencontrer la « maman » de Mannon, mais elle pouvait quand même le lui promettre.

— J'emporterai votre aveu dans la tombe.

Quelques minutes s'écoulèrent en silence. On n'entendait que les fourchettes raclant les bols. Grignotant sa part, Macie profita de ce calme pour se ressaisir. Elle avait passé presque deux heures avec sa proie et, jusque-là, elle n'avait rien glané d'intéressant. Et, comme Sam revenait le lendemain, il était impossible de savoir à quel moment elle pourrait être de nouveau seule avec lui.

Il poussa son assiette vide sur le côté.

— Je confirme ce que j'ai dit tout à l'heure. Un jour, vous deviendrez l'épouse parfaite d'un homme bien chanceux.

Elle lui adressa un sourire doucereux : il venait de lui donner l'enchaînement dont elle avait besoin pour amener la conversation sur un terrain plus intime.

— Merci, quel beau compliment ! Être une épouse et une mère est mon… vœu le plus cher. *(Mon pire cauchemar.)* Mais je songe à reprendre mes études auparavant pour mon master, ajouta-t-elle, même si elle n'avait en réalité aucune envie de retourner dans une salle de classe.

Il hocha la tête et prit une gorgée de café.

— L'éducation, c'est important, et vous avez encore tout le temps de fonder une famille.

— Je suppose, mais obtenir un diplôme est un tel engagement, je veux être sûre de ce que je fais. J'ai vu sur votre site que vous avez étudié à l'université de North Texas pendant presque dix ans. Si je puis me permettre de vous poser la question, pourquoi avez-vous mis tant de temps à obtenir votre diplôme ? Vous avez fait une pause ?

Un diplôme en sciences humaines et sociales se déroulait normalement en un premier cycle de quatre ans, puis en un second, de quatre ans également, incluant des cours, un mémoire, un examen de doctorat et, enfin, une thèse. Bien sûr, de nombreux étudiants prenaient plus de temps pour finir leur doctorat (d'après son expérience, l'université était plus un marathon qu'un sprint), mais elle était persuadée que Mannon était du genre à tout boucler en huit ans.

Les muscles faciaux de Mannon se crispèrent presque imperceptiblement. Un débutant ne l'aurait sans doute pas remarqué, mais Macie interviewait les gens depuis qu'elle avait décidé d'écrire des articles dans le journal du lycée.

— Je me suis explosé le genou lors d'un match de football. Ça a mis fin à ma carrière dans le football américain, sans parler de ma bourse sportive.

Profitant de son avantage, elle demanda :

— C'est là que vous avez décidé de faire carrière en sociologie ?

Il partit d'un grand éclat de rire et secoua la tête.

— Essayez plutôt la construction routière.

La construction ? Il essayait de la faire marcher ? Enfin, peut-être pas après tout. Elle regarda ses mains, couvertes de cicatrices.

— Vous êtes surprise.

— Un peu, admit-elle, même si ce n'était pas vraiment une question. C'est juste que… vous êtes devenu si célèbre, vous êtes une personnalité nationale.

Il tendit ses mains et les retourna, paumes vers le haut. La peau de ses doigts était épaisse et légèrement boursouflée, souvenir de ce qui avait dû être de méchantes callosités. Une cicatrice blanche en zigzag entaillait son pouce droit.

— Une grande partie de la route 217 a été réparée par ces mains. J'ai toujours la corne pour le prouver. Aujourd'hui encore, je m'amuse à y aller pour montrer les parties sur lesquelles j'ai travaillé.

Macie sentit le rouge lui monter aux joues et baissa la tête. Une chaleur similaire se forma au creux de son ventre. Soit l'air conditionné était soudain tombé en panne, soit ce salaud l'excitait.

Il laissa tomber ses mains sous la table.

— Une bonne moitié des gars de mon équipe étaient d'anciens taulards. Certains sont devenus des amis, puis des sujets de recherche. La plupart étaient issus de familles croyantes de la classe ouvrière pas si différentes de la mienne. Les similarités qui existaient entre nous m'ont rendu curieux. Quels sont les facteurs qui tirent une personne pieuse et fondamentalement bonne si bas qu'elle commettra un crime stupide, voire haineux ?

— Qu'avez-vous trouvé ? interrogea Macie, fascinée.

Elle avait voulu au moins parcourir sa thèse, mais les choses étaient allées si vite qu'elle n'avait pas eu le temps.

— Ce n'était pas le revenu, ni la race, ni l'ethnicité, ni le fait que ce soit un Américain de première ou de dixième génération, qui faisait la différence. Avoir un proche ayant fait de la prison avait une petite influence, mais la grande explication, la seule variable qui expliquait presque quarante pour cent de l'écart comportemental, était la structure familiale.

— La structure familiale ?

Il hocha la tête.

— Le comportement était différent selon que le sujet avait grandi avec ses deux parents à la maison ou un seul.

— Laissez-moi deviner : les enfants de parents célibataires étaient plus susceptibles de devenir des criminels ? demanda-t-elle en faisant tout son possible pour que sa voix ne soit aucunement tranchante.

La mine grave, il hocha de nouveau la tête.

— Malheureusement, oui. C'est pour ça que je m'inquiète autant pour Samantha.

Il avait l'air si sincèrement et sérieusement bouleversé qu'il était difficile, voire impossible, de le considérer comme un autre couillon de conservateur. Pourtant, elle ne put s'empêcher d'ajouter :

— Entre angoisse adolescente et acte criminel, il y a un fossé.

Il haussa les épaules et soupira.

— Peut-être, peut-être pas. À New York, Sam a fait du vol à l'étalage. C'était un bracelet de pacotille qui ne valait pas 20 dollars, et elle avait assez d'argent sur son compte pour le payer, et pourtant elle a choisi de le voler, dit-il en croisant son regard. Sam ne devrait pas payer les frais de mes échecs.

Elle ressentit soudain pour lui un élan de compassion inopportun mais irréfutable.

— Vous êtes terriblement dur envers vous-même.

Holà ! Pourquoi disait-elle une chose pareille ? Elle était venue pour démonter la machine médiatique qu'était Ross Mannon, pas pour le réconforter. La directive principale de l'Opération Cendrillon était de détruire le Grand Mannon. Pourtant, il avait beau être dur avec les autres, il semblait l'être dix fois plus envers lui-même. Malgré elle, Macie ne pouvait s'empêcher de le respecter pour cela. Elle compatissait même, ce qui était risqué dans sa situation.

Il serra les dents.

— Ces dernières années, j'ai plus ou moins été un père absent, je me contentais de parler à Samantha cinq minutes tous les soirs et de la voir pour Thanksgiving ou Noël, et un mois pendant l'été. Mais ce n'est pas ça, être parent, et, même sans les résultats de mon étude pour le prouver, je le sais, instinctivement.

Il leva vers elle des yeux désespérés, et Macie eut beau vouloir détourner le regard, elle en était incapable.

— C'est la raison principale pour laquelle je vous ai fait venir, mademoiselle Gray. Pas pour cuisiner, faire le ménage et les courses, même si avoir quelqu'un pour s'occuper de tout cela me soulagera, mais parce que j'ai besoin d'aide pour bâtir un pont vers ma fille. Je ne sais plus vraiment qui elle est, et je suis certain qu'elle ressent la même chose à mon égard. Je ne peux pas perdre ma petite fille, mademoiselle Gray ; je ne peux pas.

Macie secoua la tête. Elle avait soudain la gorge étrangement serrée.

— Vous n'allez pas la perdre.

Il tendit la main droite, qui, quelques instants auparavant, avait semblé être la clé pour déverrouiller sa boîte de Pandore personnelle.

— Grâce à vous, mademoiselle Gray, pour la première fois depuis des semaines, j'en suis persuadé.

Chapitre 5

L'appel de Francesca l'informant qu'elle était en ville fut une bonne surprise. Déjeuner avec elle serait une occasion en or pour parler de Sam. Et même s'ils n'avaient pas été en train de gérer un enfant en crise, Ross aurait été sincèrement ravi de la voir. Leur divorce était de l'histoire ancienne. Une fois qu'ils avaient cessé d'être des époux en guerre, ils étaient aisément redevenus amis.

Il n'aurait pas choisi le *Dupont Circle*, restaurant branché, mais, comme d'habitude, Frannie savait ce qu'elle voulait. Et, comme d'habitude, il arriva en premier. En prenant place à la table qu'il avait réservée, il ouvrit son téléphone, où l'attendait un message. Comme il l'avait prévu, elle était en retard mais arrivait. Il prit les devants et commanda leurs boissons, un verre de pinot gris pour elle et une Coors pour lui. Il en était à la moitié de sa bière quand il la repéra à l'accueil du restaurant, élégante apparition haute couture dans un tailleur couleur lime qui mettait ses yeux en amande en valeur. Il lui fit signe de la main.

Elle lui sourit et se faufila entre les tables pour le rejoindre.

— Salut, chéri. Désolée pour mon retard. La circulation était abominable.

Il se leva et, au lieu de lui faire remarquer que la circulation était toujours dense et que peut-être, pour une fois, elle pourrait essayer de partir quelques minutes en avance, ou même à l'heure, il tira sa chaise.

— Tu es superbe, Frannie.

À trente-quatre ans, Francesca était une belle femme élancée aux cheveux noirs ondulés et aux yeux vert jade. Photographe de mode en vue, son travail apparaissait dans *Vogue*, *Elle*, *In Style* et *Glamour*, ainsi que dans de nombreux magazines européens dont il ne se rappelait jamais les noms. Même s'il ne pouvait s'empêcher de lui reprocher de temps en temps ce qu'il considérait comme une incohérence flagrante entre ses visions politiques libérales et son matérialisme avide, il était tout de même fier d'elle. Dieu merci, ils avaient divorcé quand ils étaient encore assez jeunes pour réparer les pots cassés et partager leurs responsabilités parentales avec un minimum d'amertume, exploit considérable pour deux personnes si drastiquement différentes ! Elle était, sans réserve, l'une de ses meilleures amies… du moment qu'il n'avait pas à être son époux.

Elle posa son sac, un immense sac à main couleur caramel si hideux qu'il devait être de marque, et se glissa sur sa chaise.

— Mon Dieu, tu es rayonnant ! Tu n'es pas grincheux et tout froissé, contrairement à d'habitude, dit-elle en l'observant, son verre de vin à la main, tandis qu'il se rasseyait. Nouveau costume, non ?

Francesca ne manquait jamais de remarquer tout changement vestimentaire.

— Oui, je crois que oui, répondit-il sur un ton décontracté.

L'arrêt shopping impromptu à Georgetown Park devait être un gage de réconciliation avec Sam. D'une manière ou d'une autre, il s'était retrouvé chez *Brooks Brothers*, devant un étalage de cravates en soie italienne et des portants entiers de costumes.

Francesca fit claquer sa langue.

— Et moi qui venais tout juste de mémoriser toute ta garde-robe : tes trois costumes sombres et tes cinq cravates rayées, sans parler de ton armée de chemises à boutons blancs.

— Que veux-tu que je te dise ? J'aime te surprendre. Ton vin est bon ?

— Savoureux, répondit-elle avant de prendre une autre gorgée en le regardant par-dessus le bord du verre. Même si, après la semaine que j'ai passée, j'aurais bien besoin d'un Martini.

— C'était si terrible que ça ?

Francesca hésita, ce qui ne lui ressemblait pas, puis finit par hausser les épaules.

— La séance photo à Milan pour *Vogue* a été décalée d'une semaine, ce qui veut dire qu'on va devoir reprogrammer les réservations des lieux de shooting et tout le reste. Je ne sais pas comment je vais m'en sortir, mais, bien sûr, je vais y arriver. Au fait, j'ai écouté ta dernière émission.

Elle changeait délibérément de sujet, mais Ross décida de jouer le jeu.

— Tu as écouté mon émission ? Que me vaut cet honneur ?

Elle prit son menu et l'ouvrit.

— Un de mes assistants a parlé de toi, et je n'ai pas pu résister à la curiosité de t'écouter. Cela dit, mon chéri, je te dis ça avec tout mon amour, mais tu m'as fait l'effet d'un vrai porc.

Elle regarda autour d'elle en faisant mine d'être inquiète.

— J'ai même songé à venir ici avec une perruque et des lunettes noires.

Il sourit.

— Tu as peur que ta carte du parti démocrate ne te soit enlevée si on te voit déjeuner avec l'ennemi ?

Comme il savait qu'elle détestait ça, il continua à ignorer le verre que lui avait apporté le serveur et but sa bière au goulot.

Elle fit la grimace et tendit la main pour enlever la serviette en papier qui s'était collée au bas de la bouteille.

— Ce serait le minimum.

Il ouvrit son menu et le parcourut rapidement, puis regarda la table voisine où deux salades gargantuesques venaient d'être servies.

— La prochaine fois, c'est moi qui choisis le restaurant.

— Franchement, Ross, manger autre chose que de la viande et des pommes de terre ne va pas te tuer. Tu ne sais pas apprécier l'art culinaire.

— C'est marrant, je ne me souviens pas de t'avoir vue beaucoup faire la cuisine quand nous étions mariés.

À ce rappel peu subtil de la catastrophe qu'elle était en cuisine, elle haussa les épaules.

— J'aime la cuisine, du moment que c'est quelqu'un d'autre qui la fait.

Pas étonnant que cela n'ait pas fonctionné entre eux. Leur mariage avait tout de même donné naissance à une bonne chose, laissant le sentiment que même les pires des maux en avaient valu la peine : Sam. S'il avait des regrets concernant son mariage, sa fille n'en faisait pas partie. Et il avait retenu une précieuse leçon : les opposés s'attirent mais ne restent pas ensemble. S'il se remariait un jour, ce serait avec une femme qui partageait ses valeurs. Jusqu'à ce que Mlle Martha Jane Gray entre dans sa vie dans un tourbillon de jupes pastel, il avait abandonné l'idée que des femmes comme elle existaient encore.

Il repensa à leur premier dîner, et un sourire se dessina sur ses lèvres. Il avait presque oublié combien il était agréable de partager non seulement un bon repas mais également une charmante conversation avec un autre adulte. Manger seul n'était pas marrant. Avant l'arrivée de Samantha, il avait l'habitude de manger un bout en revenant du boulot, ou de commander une pizza ou un repas chinois, qu'il mangeait dans son bureau ou devant les infos. Mais Martha Jane et lui étaient restés assis à table pendant presque deux heures, leur café refroidissant dans leur tasse tandis qu'ils parlaient de tout et de rien. Elle était de si bonne compagnie, si facile à vivre. Il espérait seulement ne pas l'avoir trop ennuyée avec ses divagations. Peut-être avait-elle fait semblant d'être intéressée par ce qu'il disait par politesse, ou, pire encore, par peur d'être virée. Mais ni la politesse ni la peur ne pouvait expliquer la façon dont le visage de Martha Jane s'était illuminé quand il était entré dans l'appartement. Il ne pouvait l'avoir imaginé… Si ?

— La Terre pour Ross !

La voix de Francesca le ramena au présent, et il se ressaisit, stupéfait de se rendre compte qu'il avait fixé le vide un bon moment.

— Désolé.

Espérant reprendre le dernier sujet de conversation abordé par Francesca, il demanda :

— Alors j'imagine que ça marche entre toi et le jeune chef prodige ?

— Frederick n'est pas si jeune. Il va avoir vingt-sept ans. Pour ce qui est du prodige, tu sais ce qu'on dit : ange en cuisine, démon au lit.

Elle lui décocha un clin d'œil.

— On ne peut pas rêver mieux.

Il repensa à Martha Jane. Elle maîtrisait manifestement la partie concernant la cuisine. Qu'en était-il de la seconde moitié de l'équation ? Elle semblait si douce et si innocente qu'il avait du mal à l'imaginer ne serait-ce qu'en train de décroiser ses longues jambes. Et pourtant il avait eu l'impression parfois de déceler chez elle un tout autre côté, portant la marque du diable. Son apparence de jeune femme douce et traditionnelle était-elle trompeuse ? Non. Il devait prendre ses désirs pour des réalités. À plusieurs reprises, il l'avait, malgré lui, mentalement déshabillée, et il avait dû faire appel à toute sa volonté pour retrouver des pensées décentes. Que lui arrivait-il ? Bien sûr, il avait des envies et des besoins naturels, mais la présence constante de Martha Jane mettait son éthique et son autodiscipline à l'épreuve.

Se décidant pour le sandwich au bœuf, seul plat qui ne soit pas de la nourriture pour lapins, il ferma son menu. Il regarda la panière à pain remplie de boules trop cuites.

— J'imagine qu'on ne peut pas avoir de bons petits pains ici ?

Ceux de Martha Jane avaient été aussi moelleux que des nuages.

Frannie leva les yeux au ciel.

— Franchement, Ross, tu es obligé de faire ton philistin ? dit-elle en reposant son menu. Non seulement la nourriture est divine ici, mais c'est un endroit formidable pour observer les gens.

— Pour observer des gens beaux, tu veux dire. Et moi qui pensais que tu étais venue me voir, moi.

À présent que les disputes avec Francesca n'étaient plus une occupation journalière, il appréciait sincèrement sa compagnie. Depuis qu'ils avaient divorcé, la solitude ou le désir les avait presque poussés à coucher ensemble parfois. Le sexe était une des rares choses qui fonctionnaient parfaitement dans leur couple. Mais l'affection et l'amour étaient deux choses différentes. L'amitié qu'ils avaient reconstruite était trop précieuse pour la gâcher sur une impulsion.

— Nous avons fait une fille magnifique ensemble, souffla-t-elle. Nous avons réussi cette partie-là de notre mariage…, ou c'était du moins ce que je pensais il n'y a pas si longtemps.

Ross hocha la tête, son appétit envolé.

— Dis-moi pourquoi elle a fugué, Francesca. Je préfère me passer des conneries et que tu me l'avoues tout de suite.

Elle prit son verre de vin et fit tourner le liquide ambré avant de répondre.

— Elle déteste l'école, elle déteste New York, elle déteste Frederick, mais, surtout, elle me déteste.

Sous ses vêtements parfaitement taillés, ses épaules s'affaissèrent. Elle posa son verre et détourna le regard, les larmes aux yeux.

— Je suis affamée. Où est notre serveur ?

— Certainement en train de piétiner du raisin pour le millésimé que tu bois, alors parle-moi.

Elle se tourna vers lui, tenta de sourire, mais les larmes qui menaçaient de couler sur ses joues gâchèrent sa tentative. Ross sortit son mouchoir.

Frannie et lui avaient beau ne pas être d'accord sur beaucoup de choses, il la comprenait. Prendre un coup de couteau en plein cœur faisait d'autant plus mal quand cela venait de son propre enfant.

Elle prit son mouchoir et se tamponna les yeux.

— J'aurais aimé qu'on divorce avant de la perturber complètement.

Il posa sa main sur la sienne pour la réconforter.

— Sam est une gentille fille. Elle traverse seulement une période difficile.

C'était du moins ce qu'il essayait de se dire tous les jours.

— Et puis toutes les adolescentes détestent leur maman. C'est presque un rite de passage. Si ça peut te consoler, je ne figure pas non plus en haut de sa liste de personnes préférées.

Il résuma les circonstances qui l'avaient conduit à confisquer le magazine. Francesca se laissa tomber contre le dossier de sa chaise en soupirant.

— Pourtant, je l'ai eue ce matin au téléphone, et elle insiste pour rester à Washington avec toi… pour de bon.

Ross retira sa main.

— Pour de bon ?

Il n'en savait rien.

Elle hocha la tête, retenant toujours ses larmes.

— Elle devrait peut-être rester, pendant un certain temps du moins. Tu as peut-être la main un peu lourde en matière de discipline, mais au moins elle peut être certaine que tu es sur le même continent qu'elle.

Ross se figea.

— Ça veut dire que ce n'est pas ton cas ?

Le silence de Frannie répondit pour elle : elle redécollait bientôt. Le ventre de Ross se noua. Cette situation lui rappelait un épisode lointain : Frannie lui tendant un bébé criard qui faisait ses dents en lui disant qu'elle sortait dîner puis allait au cinéma avant de devenir complètement folle. C'était la première fois qu'il s'occupait de Sam seul. Même si ce n'était que pour quelques heures, cette perspective l'avait terrifié. Paniqué, il avait appelé ses parents, s'attendant à ce que sa mère vienne à son secours. Au lieu de cela, elle lui avait dit que son père et elle étaient de sortie, que Sam n'allait pas se briser et que, plus tard, il se souviendrait de cette période comme du « chaos du bon vieux temps ».

Elle avait eu raison sur tout. Ces derniers temps, Ross était nostalgique de cette époque où ses pires défis parentaux étaient de gérer une colique, des dents qui poussaient ou des genoux écorchés.

Frannie balaya l'air de la main.

— Mon emploi du temps est dingue, tu le sais bien. Si je me rappelle bien, c'était l'une de tes réclamations principales quand nous étions mariés, et c'est dix fois pire aujourd'hui. Selon où nous en sommes dans la saison, je dois me rendre à Paris, à Milan ou à Rio pour un oui ou pour un non, souvent pour quelques semaines d'affilée. C'est gérable l'été, parce que je peux emmener Sam avec moi ou l'envoyer chez toi, mais, maintenant qu'elle est au lycée, je ne peux pas lui faire arrêter les cours au beau milieu du trimestre.

Bon sang, sa propre fille était une « enfant à clé » le genre de gamine qui portait la clé de chez elle autour du cou, et il ne le savait même pas ! Une vague de honte déferla en lui. Que pensait-il qu'elle avait fait de Sam au juste quand elle partait ? Qu'elle la mettait dans un garde-meuble ? La pénible vérité était qu'il n'avait jamais pris la peine de penser aux détails de la vie de sa fille.

— Ce qu'elle cherche, qu'elle le comprenne ou pas, c'est la stabilité, et ça, Ross, c'est exactement ce que je ne peux pas lui offrir. Mais toi, tu peux… sauf si, bien sûr, tu ne veux pas d'elle.

Il se raidit.

— Qu'est-ce que ça veut dire ? C'est ma fille. Bien sûr que je veux d'elle.

Malgré la thérapie familiale qu'ils avaient suivie pendant un an après leur divorce, Frannie parvenait encore à le provoquer.

— Je dis simplement que, si tu vois quelqu'un, ce n'est peut-être pas le moment d'accueillir une ado lunatique chez toi.

— Il se trouve que je ne fréquente personne, et, même si c'était le cas, cela ne ferait aucune différence. Sam passe en premier.

Ou elle passerait en premier dorénavant.

Frannie haussa un sourcil.

— Tu es toujours seul ?

Apparemment, cela ne lui suffisait pas de le taquiner un peu. Il fallait qu'elle le pousse à bout.

— Que Sam vive avec moi ne pose aucun problème. C'est tout.

Il prit sa bière, désormais tiède, et la vida. Frannie avait de nouveau inversé la situation. C'était peut-être lui qui avait un doctorat, mais elle était rusée. Non seulement elle avait réussi à lui faire prendre toute la responsabilité de leur fille, mais elle l'avait acculé, et il devait défendre sa vie amoureuse, ou son absence de vie amoureuse en l'occurrence.

Elle prit une autre gorgée de vin et l'observa.

— Oh, mince, je t'ai rendu grincheux !

— Je ne suis pas grincheux.

Ross regarda le sol. Bon Dieu, où était leur serveur ? Elle fit une moue moqueuse.

— Je connais cette expression. Tu as presque avalé ta lèvre supérieure. Tu ressembles à Ralph Fiennes quand tu fais ça. Non, n'arrête pas. C'est sexy, Ross. Vraiment. Fais la même chose la prochaine fois que tu es avec ta nouvelle amie.

— Ce n'est pas ma « nouvelle amie » comme tu dis.

— Ah, c'est donc une relation installée, encore mieux.

— Ce n'est pas… Je ne suis pas…

— En couple ? Eh bien, tu t'intéresses visiblement à quelqu'un. Nouveau costume, chemise fraîchement repassée et…, ajouta-t-elle en se penchant en avant pour renifler, du parfum.

— Bon sang, Frannie, fiche-moi la paix ! J'ai engagé une gouvernante.

Elle cligna des yeux.

— Oh, mon Dieu ! Tu te tapes la gouvernante ?

Ce fut au tour de Ross de la faire taire en jetant des regards nerveux autour de lui.

— Absolument pas.

— Franchement, Ross, se faire la gouvernante, c'est tellement cliché. Dis-moi que tu ne lui fais pas porter une de ces petites robes noires avec des bas résille et une coiffe blanche ?

Ross garda les yeux rivés sur sa bouteille de bière vide et pria pour que leur serveur lui en apporte une autre.

— Je ne la… fréquente pas. Nous ne sommes pas ensemble.

— Mais tu l'aimes bien, ça se voit. N'essaie pas de le nier. Je te connais mieux que tu ne te connais toi-même, chéri. C'est pour ça que je t'ai quitté avant que tu reviennes à la raison et que tu me quittes. Mais revenons-en à l'incomparable Mlle…

— Gray.

— Parfaitement, Mlle Gray. Quand est-ce que je la rencontre ?

Jamais fut la réponse qui lui vint à l'esprit, mais, étant donné que Sam allait vivre avec lui à l'avenir, ce n'était pas vraiment une option.

— Tu ne dois pas aller à Milan ?

— Oh, chéri, ce n'est pas avant la fin du mois ! Alors dis-moi, d'où vient-elle ?

Il haussa les épaules.

— D'une petite ville de l'Indiana.

Francesca frissonna.

— J'imagine qu'elle est donc parfaite pour toi.

— Pas tout à fait.

— Ne me dis pas qu'il y a déjà de l'eau dans le gaz ?

Malgré son ton taquin, elle semblait sincèrement inquiète. Maintenant qu'elle lui avait soutiré des aveux, le moins qu'elle puisse faire était de l'écouter et de le conseiller.

— Elle est plus jeune.

— Mon Dieu, ça ressemble à l'un de ces affreux romans gothiques ! Une jeune fille innocente devient gouvernante pour le compte de l'inquiétant seigneur du manoir.

— Elle n'est pas si jeune. Elle approche de la trentaine... Bon, elle est dans la vingtaine. Elle a vingt-six ans.

Elle fit la grimace.

— Et toi, tu es un vieux de trente-quatre ans. Mais ne t'inquiète pas, chéri ; il y a le Viagra de nos jours, alors Mlle Gray et toi avez de belles années de baise devant vous.

— Francesca !

L'air satisfait, elle fit claquer sa langue.

— Tu m'appelles par mon prénom, tu dois être vraiment fâché. Détends-toi, Ross ; je ne pourrais pas être plus heureuse pour Mlle Gray et toi. Mais essayez de vous retenir devant notre fille. C'est moi qui suis censée être le parent marrant et décalé.

— Arrête de l'appeler « Mlle Gray ». Elle n'est rien pour moi. Elle travaille pour moi. Si ma chemise est repassée, c'est parce qu'elle l'a emmenée au pressing. Au fait, tu ne m'as pas dit pourquoi tu étais à Washington.

— Tu changes de sujet, hein ? Très bien, je suis ici pour le banquet de remise de prix de la Fondation du Patrimoine de la semaine prochaine.

Ross faillit cracher la gorgée d'eau qu'il venait de prendre.

— Tu vas au banquet de la Fondation du Patrimoine ?

Un événement social subventionné par de célèbres conservateurs : ce n'était pas du genre de Frannie. Elle haussa les épaules.

— On verra. D'ordinaire, je ne l'aurais même pas envisagé, mais, cette année, le dîner est servi en cinq plats de cinq chefs régionaux, et on a demandé à Freddie de faire l'entrée au foie gras. C'est un beau coup, vraiment. Mais, hélas, il sera occupé en cuisine toute la soirée, alors je vais avoir du mal à m'amuser. Pour être sûre de ne pas m'ennuyer, j'ai grugé un siège à la table V.I.P. à tes côtés, Monsieur le Républicain de l'année !

Ainsi, elle savait que Ross allait recevoir un prix. Il s'adossa à sa chaise et croisa les bras.

— Super. Tu me diras comment ça s'est passé.

— Tu n'y vas pas ? s'exclama-t-elle, avant de secouer la tête, visiblement désespérée. Mais tu dois venir, tu reçois un prix très convoité ! Est-ce que c'est parce que tu… n'as pas de cavalière ? demanda-t-elle à voix basse.

Ses poils se hérissèrent.

— Qui dit que je n'ai pas de cavalière ?

— Remarque, venir sans cavalière à un événement huppé à Washington, c'est le meilleur moyen de faire croire aux gens que tu es gay.

— C'est ridicule.

— Je te préviens, Ross : s'il le faut j'engagerai une escort girl pour toi.

Il ne s'en sortirait pas. Et il ne pouvait pas se permettre de créer un scandale en apparaissant au bras d'une escort girl.

— D'accord, lâcha-t-il pour qu'elle lui fiche la paix. J'irai, avec une cavalière et sans ton aide, merci beaucoup. D'ailleurs, j'ai… déjà quelqu'un en tête.

Le déjeuner à l'extérieur de Ross offrit à Macie l'occasion parfaite de faire entrer Stefanie en douce pour lui faire visiter l'appartement et lui permettre de déposer le repas du soir. En passant de pièce en pièce, elle ne put s'empêcher de ressentir une fierté absurde en voyant son amie s'extasier. Macie dut se rappeler à plusieurs reprises que l'appartement qu'elle faisait visiter n'était pas vraiment le sien.

— Waouh, dit Stefanie en regardant autour d'elle, c'est un sacré appart ! Je me suis toujours demandé à quoi ressemblait un appartement du Watergate. Je n'avais visité que le restaurant jusqu'à présent.

Elle revint dans la cuisine pour déballer le reste des sacs isothermes qu'elle avait apportés pour le repas du soir.

— Alors, comment s'est passée ta première soirée ?

Empêtrée dans une toile de sentiments confus, Macie prit son temps avant de répondre.

— Ça s'est bien passé, merci.

Stef s'arrêta net dans sa tâche.

— Bien, c'est tout ? demanda-t-elle d'un air déçu.

— Enfin, ça s'est vraiment très bien passé. Il a adoré les plats. Tes petits pains ont fait un carton. Il en a pris trois, a dit que c'étaient des morceaux de paradis, parce qu'ils étaient légers et moelleux comme des nuages.

Stef rayonnait.

— Peu importent ses opinions politiques, cet homme a du goût.

La mère de Stefanie, Rosaria, lui avait appris à cuisiner très tôt, si tôt qu'elle avait eu besoin de monter sur un tabouret pour être à hauteur du plan de travail. Ces temps-ci, sa clientèle enflait, et ses clients appréciaient tant ses efforts culinaires qu'ils étaient prêts à les payer au prix fort. Pourtant, si Macie pouvait faire un vœu pour son amie, ce serait que Stefanie rencontre un homme qui apprécierait tout ce qu'elle avait à offrir, y compris (mais pas seulement) ses plats alléchants. Jusque-là, pas de chance. Et les complexes de Stefanie n'aidaient pas. Entendre les blagues qu'elle faisait sur ses cuisses en fromage blanc et ses grosses fesses lui faisait mal au cœur. Si seulement elle abandonnait ses pulls informes, ses tee-shirts trop grands et ses jeans à taille élastique pour porter des vêtements qui mettraient ses formes en valeur plutôt que de les camoufler, elle serait magnifique.

Cela dit, être à la pointe de la mode n'avait pas non plus fait le bonheur de Macie. La lingerie La Perla et les chaussures Jimmy Choo n'avaient pas empêché Zach de la larguer à maintes reprises. Bien sûr, elle sortait avec beaucoup de mecs, mais c'était Manhattan. Tout le monde sortait. À part Zach, la plupart de ses relations n'allaient pas plus loin que le troisième rendez-vous. À l'exception de quelques moments torrides, elle passait presque autant de temps seule que Stef. Le tas de plats à emporter et de plats tout prêts pour une personne à faire au micro-ondes qu'elle avait amassés au cours des cinq dernières années devait atteindre la lune.

— Alors, il est comment ?

La question de Stef la ramena au présent dans un sursaut. Effleurant le plan de travail du bout des doigts, Macie haussa les épaules.

— Pas mal, j'imagine.

Ross était, elle devait l'admettre (même si ce n'était qu'à elle-même), mieux que pas mal : infailliblement courtois, gentil et même drôle, complètement différent du personnage public guindé qu'il incarnait. Après seulement un soir, elle commençait à se demander si le rôle qu'il semblait jouer en était vraiment un. Après le dîner, il lui avait donné son emploi du temps du mois et, d'après ce qu'elle avait vu, à part un banquet, un truc politique, il n'avait pas l'intention de sortir : pas de happy hours, encore moins de « soirées pyjamas » adultes, pour autant qu'elle sache. À l'exception de son footing le long du Potomac tôt le matin, il semblait déterminé à consacrer tout son temps libre à Sam.

— Tu sais, Mace, reprit Stefanie, les valeurs traditionnelles ne sont pas toutes mauvaises. Quand ma mère était encore là, c'était agréable de faire partie d'une famille sur laquelle je pouvais compter, et inversement.

En supposant qu'on puisse vraiment compter sur eux, se dit Macie en pensant à ses propres parents, qui l'avaient lamentablement laissée tomber.

Pour une raison inconnue, elle s'entendit confier à son amie :

— En tête à tête, il est… gentil et à l'écoute.

Elle avait davantage parlé pendant un dîner avec Mannon qu'en trois ans avec Zach. Elle commençait à comprendre que son ex et elle n'avaient pas formé un véritable couple. Tout ce temps, ils n'avaient fait que « traîner ensemble », comme le disait Zach. Se défaisant de la tristesse que cette prise de conscience lui inspirait, elle ajouta :

— Après le dîner, il a insisté pour m'aider à débarrasser. Dieu merci, j'avais descendu la poubelle de la cuisine avant qu'il rentre, sinon il aurait vu les boîtes de ton service traiteur, et j'aurais été cuite. En parlant de ça, qu'est-ce qu'on mange ce soir ?

— J'ai fait des spaghettis et des boulettes de viande. Ne t'inquiète pas, j'ai fait des boulettes de soja pour Samantha, elles sont dans un récipient différent. Tu vois, j'ai écrit que c'étaient des fausses boulettes pour que tu ne confondes pas, dit Stef en soulevant le récipient en plastique étiqueté d'un Post-it rose.

Macie soupira.

— Merci, tu m'as sauvée, sinon elle m'aurait certainement renversé sa sauce sur la tête.

— Les vraies boulettes sont faites avec de la ricotta et… Bon, je sais que tu es ma meilleure amie, mais je ne sais pas si je peux te révéler mon ingrédient secret, même à toi.

— Comme tu veux. Mais, quoi qu'il arrive, ton secret sera bien gardé avec moi. Si je te volais tes ingrédients, je serais obligée de les cuisiner, et tu sais que, quand il est question de cuisiner, mon mantra a toujours été « Pas Question ».

Stefanie referma ses sacs isothermes.

— Ce peut être très marrant de faire la cuisine quand tu les fais pour quelqu'un comme mon père, qui sait apprécier les bons plats, ainsi que le temps passé et l'amour qu'on y a mis. Et, si j'en crois ce que tu dis, on dirait que Ross Mannon est ce genre d'homme.

Ne sachant que dire, Macie, pour une fois, se tut. Stef la dévisagea.

— Tu sais, Mace, à part mes pains et mon baklava, il n'y a rien qui soit à cent pour cent parfait, et ça vaut aussi pour les gens.

Macie eut le sentiment qu'elle lui faisait la leçon.

— Qu'essaies-tu de me dire ? demanda-t-elle, irritée.

Stef haussa les épaules.

— Réfléchis-y, c'est tout…

Stef était partie depuis cinq minutes quand des pas lourds annoncèrent que Samantha était rentrée tôt de sa sortie scolaire à la Maison-Blanche. Il s'en était fallu de peu.

— Ça sent bon, dit l'adolescente en entrant dans la cuisine.

Ne voulant pas déclencher une guerre, Macie s'efforça d'être aimable.

— Merci, j'ai fait mes fameux spaghettis aux boulettes.

— Fameux, hein ? Vous avez tout fait vous-même ?

Manifestement, Samantha était impressionnée, comme il se devait. Macie hocha la tête.

— J'ai pelé des tomates toute la matinée.

— Vous êtes une bosseuse, mademoiselle Gray.

D'un pied, elle appuya sur la pédale de la poubelle. Le couvercle se souleva, et elle se pencha pour regarder à l'intérieur.

Le cœur de Macie s'arrêta. Elle n'avait pas eu le temps de sortir la poubelle, qui débordait de boîtes portant le nom et le logo d'*À Croquer*, marque d'un service de traiteur… bien en vue.

— Samantha, ne touche pas à ça !

Surprise, Samantha bondit en arrière, et le couvercle en acier se referma brusquement. Avait-elle vu ce qu'il y avait à l'intérieur ?

Macie dévisagea l'adolescente, mais son visage ne trahissait aucune émotion, à la façon d'un joueur de poker professionnel.

— Bord… bon sang, tu devrais te laver les mains ! Les poubelles contiennent toutes sortes de microbes.

Les yeux rivés sur la poubelle, Samantha demeura immobile.

— On apprend le compost en SVT. Vous saviez que certaines personnes donnent leurs restes à des vers, puis les vers, vous allez adorer, chient tout ça, puis ils utilisent leurs crottes pour en faire…

— De l'engrais, je sais.

La gamine voulait-elle la torturer ou l'ennuyer à mourir ?

— Je pensais faire ça pour mon projet de sciences. Vous pourriez peut-être me garder les épluchures de tous les merveilleux repas que vous nous faites.

Macie se passa la main dans les cheveux. *Bordel, j'aurais bien besoin d'un cocktail !*

— Je ne sais pas, j'y réfléchirai.

Samantha plongea ses mains dans ses poches et regarda longuement autour d'elle.

— Où sont toutes les casseroles sales ?

Sentant la sueur perler sur son front, Macie répliqua sèchement :

— Je les ai déjà lavées. Pourquoi ?

Sam regarda le râtelier où était pendue toute la batterie de casseroles, brillant comme des miroirs.

— Ma grand-mère texane prépare sa sauce dans une grande cocotte et elle la fait mijoter toute la journée. Cela lui laisse des heures et des heures pour travailler la pâte, avec la machine à pâtes.

Elle regarda le plan de travail. À part le micro-ondes, le grille-pain et la cafetière très usitée de Mannon, aucun autre appareil n'était sorti.

Macie posa ses poings sur ses hanches.

— J'imagine que j'ai utilisé une recette plus rapide.

— Vous pourriez peut-être me la donner pour que je l'envoie à ma grand-mère. Ça lui fera gagner du temps, vu qu'elle commence à se faire vieille et tout ça.

Cette gosse était un vrai petit diable.

— Tu n'as pas des devoirs à faire ?

— J'ai des trucs à lire pour le cours de littérature anglaise, admit Sam. Cette Jane Eyre se met vraiment dans la merde.

Elle lui adressa un petit sourire satisfait avant de se retourner pour partir d'un pas sautillant.

En la voyant s'éloigner, Macie cessa de retenir sa respiration et soupira. Sam l'avait-elle démasquée ? Si oui, Macie présumait que l'adolescente allait garder cette menace au-dessus de sa tête aussi longtemps qu'elle le pourrait et abattre son atout au pire des moments. Du moins, c'était ce que ferait Macie si les rôles étaient inversés. Avec un peu de chance, elle aurait d'ici là assez de matière sur Mannon pour faire sa sortie, et rien d'autre n'importerait. Raison de plus pour se mettre au travail.

Elle quitta la cuisine et passa devant la porte fermée de la chambre de Samantha sur la pointe des pieds. Elle l'entendit parler, ce qui indiquait qu'elle était soit au téléphone, soit en train de faire une conversation vidéo, elle qui devait travailler sur Jane Eyre… Le bureau de Mannon était au bout du couloir. Elle entra dans la pièce et ferma discrètement la porte derrière elle. Ross avait laissé son ordinateur portable ouvert sur le bureau, allumé et non verrouillé – quelle confiance ! Il avait dû partir vite ce matin-là sans prendre le temps de se déconnecter. Gardant un œil sur la porte, elle se pencha sur le bureau et consulta son historique de sites consultés.

Merde alors ! Macie n'en croyait pas ses yeux. Elle avait déniché le jackpot. Des liens vers des salons de discussion érotiques, des sites de « déguisements » douteux et, oui, de porno lascif, l'accueillirent. Elle repéra dans la liste ce qui semblait être un site pédophile, et une vague de colère l'envahit. Jouer avec les adultes était une chose, mais prendre son pied de cette façon était tordu. Les mains tremblantes, elle fit une capture d'écran, se déconnecta, se reconnecta en tant qu'invitée puis s'envoya l'image par mail, avant de la supprimer.

Nauséeuse, elle s'écarta du bureau. Que lui arrivait-il ? Elle pouvait avoir la tête de Mannon sur un plateau et pourtant elle devait se retenir de vomir. Elle aurait dû être soulagée, victorieuse : tout cela lui donnait raison ! Mais au contraire elle se sentait absurdement, irrationnellement, déçue.

Plus que déçue, elle était abattue, comme si elle venait de découvrir que le Père Noël était un mythe et que la petite souris n'existait pas. Elle avait presque pensé que, opinions politiques à part, Ross Mannon était un mec bien, mais elle voyait à présent qu'elle avait vu juste depuis le début. À la surface, il ressemblait peut-être à un prince, mais sous ce vernis de bel homme se cachait un crapaud verruqueux. Pire, il était la vase au fond de l'étang, où vivaient les autres crapauds. Elle était bien loin du conte de fées.

Elle se redressa et tenta de se calmer. Il était temps d'arrêter de se comporter comme une débutante et d'être la professionnelle qu'elle était devenue à force de travail. Elle devait encore débusquer son grand scoop, mais, en attendant, cette nouvelle sur les fréquentations Internet de Ross devrait satisfaire Starr et lui prouver qu'elle était sur la piste d'un scandale.

De retour dans sa chambre, elle transféra la capture d'écran à Starr et à Terri. Elle venait de ranger son téléphone au fond d'un tiroir quand elle entendit du bruit dans l'entrée : c'était Ross, bien sûr. Ce salaud malsain était rentré en avance et était certainement impatient de se connecter sur son ordinateur pour s'amuser comme le pervers qu'il était. Macie se leva, inspira profondément et prit un air impassible. Elle ferma la porte de sa chambre derrière elle et avança dans le couloir, tremblant de tout son corps. Pourquoi cela semblait-il soudain si… difficile ?

— Vous avez passé une bonne journée ? demanda-t-elle en arrivant dans la pièce principale.

— Oui.

Ross se détourna du portemanteau pour la regarder, et elle la remarqua tout de suite : une trace de rouge à lèvres rouge foncé sur sa joue.

Il les accumulait ! C'était vraiment une pourriture !

Elle avait l'impression que le ciel lui tombait sur la tête. Elle se força à avancer d'un pas.

— Vous avez du rouge à lèvres sur la joue.

Il se tourna vers le miroir accroché au mur, pencha la tête et rougit.

— Mince, Frannie aurait pu me le dire !

Il fouilla dans sa poche, n'y trouva rien et entreprit de se nettoyer avec le dos de la main.

Frannie ? Vu son emploi du temps serré, soit « Frannie » était la petite amie la plus compréhensive au monde, soit elle se faisait payer à l'heure. Macie parierait sur la deuxième option.

Voyant son air interrogateur, Ross expliqua :

— La mère de Sam est à Washington, et nous en avons profité pour avoir un petit pow wow parental pendant le déjeuner.

— Vous avez déjeuné… avec la mère de Sam ? C'est bien que vous soyez restés… si proches, ajouta-t-elle, les yeux rivés sur la trace de rouge à lèvres.

Il grimaça.

— Avoir un enfant en commun est une sacrée motivation pour rester fair-play.

Un sentiment louable, ou c'était du moins ce qu'elle aurait pensé si elle n'avait pas vu son historique Internet. Même s'il sortait d'un déjeuner platonique avec son ex-femme, c'était quand même un sacré malade. Elle ne pouvait pas se permettre d'oublier qui il était, ce qu'il était et ce qu'elle était venue faire à Washington. À cette allure, elle serait rentrée à New York bien avant les six semaines qu'on lui avait accordées.

L'Opération Cendrillon était en bonne voie.

Chapitre 6

Le lendemain matin, l'enfer se déchaîna. Son ordinateur dans les mains, Ross déboula dans la cuisine, le visage rouge de colère et la cravate défaite pendant autour de son cou. Macie se raidit. Comment avait-il découvert qu'elle avait fouillé ? Sam lui avait-elle déjà fait part de ses soupçons ? Elle jeta un coup d'œil à l'ado, s'attendant à voir un sourire satisfait sur son visage, mais pour une fois Sam semblait n'avoir aucun sarcasme à lancer. Ramassant des graines de pavot tombées d'un donut, elle était recroquevillée sur un tabouret de bar, la tête baissée, muette.

— Docteur Mannon, que se passe-t-il ? demanda Macie, dont la voix tremblait malgré ses efforts.

Il posa violemment son ordinateur sur le bar, faisant s'entrechoquer les verres de jus d'orange qu'elle venait de servir.

— Voyez vous-même.

L'écran affichait le blog d'*On Top* avec le titre de la publication du jour : « Plaisirs Pervers ? Le chroniqueur radio conservateur Ross Mannon accro à… "l'amour" ? »

— Les relations publiques de la radio ont une alerte Google pour traquer les articles des médias, expliqua-t-il en passant une main dans ses cheveux encore mouillés par la douche. Le moteur de recherche a trouvé cette… merde. Apparemment, tard hier soir, un « lecteur anonyme » a dévoilé ma supposée addiction à la pornographie en ligne, ragea-t-il en secouant la tête, toujours aussi rouge. Les sites qu'ils ont listés me retournent l'estomac.

Les yeux rivés sur l'écran, Macie était presque aussi stupéfaite que lui. Apparemment, Starr avait pris son « rapport intermédiaire » et l'avait publié comme si c'était un fait avéré.

— Je suis désolée, dit-elle, surprise de l'être sincèrement.

Du coin de l'œil, elle regarda Sam, dont le visage pâlissait. Après tout, même si elle jouait les dures, quel enfant n'aurait pas été dévasté de découvrir que son père était accro au porno ? Grâce à Macie, elle venait de l'apprendre.

— Qu'allez-vous faire ? demanda-t-elle à Mannon en se tournant vers lui.

— Le service juridique de la radio est déjà dessus. Nous allons exiger le retrait de l'article ainsi que des excuses.

Sentant ses genoux faiblir, Macie s'appuya sur le comptoir.

— Et si vous ne… euh… l'obtenez pas ?

— On attaque en justice, répondit-il en fermant son ordinateur sans l'éteindre. Avec un peu de chance, la radio me soutiendra, mais je descendrai ces enfants de salauds moi-même s'il le faut. Je ne veux pas que tu t'inquiètes pour ça, ma puce, dit-il ensuite à Sam. C'est un tas de… une grosse erreur, mais je vais tout faire pour la réparer. D'accord ?

Sam déglutit. On aurait dit qu'elle allait être malade.

— D… d'accord, répéta-t-elle d'une voix que Macie n'avait jamais entendue, faible et tremblante, comme… comme celle d'une enfant.

Mannon déposa un baiser sur le sommet de la tête de Sam.

— Je vais au bureau. À plus tard, mesdemoiselles.

Il ramassa son ordinateur et partit.

Le claquement de la porte de l'entrée s'ouvrant et se refermant confirma qu'il était sorti. Macie s'assit sur un tabouret à côté de Sam et regarda l'assiette de bagels que personne, y compris elle, ne semblait vouloir toucher.

— Sam, tu finis ton bagel ou tu veux l'emporter avec toi dans la voiture ? Si on ne part pas dans moins de cinq minutes, tu seras en retard à l'école.

Sam lâcha le petit pain qu'elle tenait.

— Je ne me sens pas très bien.

Macie se leva.

— Bien essayé, mais je ne marche pas. Prends ton sac à dos, on y va. Sinon, l'école appellera ton père, et il a bien assez de soucis comme ça en tête.

Grâce à moi.

Sam ne bougea pas d'un pouce.

— Je ne fais pas semblant, je vous promets.

Elle avait la mine défaite ; elle disait la vérité.

— Sam, je sais que tu es bouleversée et je ne t'en veux pas, mais ton père a dit qu'il arrangerait ça, et… et je suis sûre qu'il le fera.

— C'est ma faute.

Sam planta ses coudes sur le comptoir et enfouit sa tête dans ses mains.

— Papa va me tuer, ou me détester pour toujours.

Macie regarda l'ado et prit patience. Quinze ans était un âge difficile. Quoi qu'il se passe dans le monde de Sam, ce ne devait pas être très grave, mais cela devait lui paraître insurmontable.

— Ton père ne pourrait pas te détester, pas pour toujours, pas même pour cinq minutes. Il t'aime trop. Néanmoins, tu ferais mieux de me dire ce que tu as fait.

Sam releva la tête. De grosses larmes roulaient sur ses joues.

— Ce n'est pas papa qui est allé sur ces sites. C'est moi.

Sous le choc, Macie eut l'impression d'avoir reçu une gifle, un avertissement. Pourtant, son soulagement était encore plus grand que son étonnement. Il s'apparentait presque à de la joie tant il était puissant. Mannon n'était pas accro au porno. Ce n'était pas un pervers. Ce n'était pas un maniaque. Quel que soit son secret inavouable, ce n'était pas cela.

L'esprit bouillonnant, elle écouta la confession éplorée de Sam, rassemblant à la fois les détails et cherchant à trouver des solutions pour limiter les dégâts. En rogne contre son père à cause du contrôle parental activé sur son ordinateur et inspirée par la Déclaration d'indépendance qu'elle étudiait en cours d'histoire, Sam avait décidé de mettre en place sa propre petite révolte. Elle s'était faufilée en douce dans le bureau de Ross, avait trouvé son identifiant et son mot de passe griffonnés sur un Post-it collé à l'intérieur d'un tiroir non verrouillé, et utilisé son ordinateur pour se connecter sur les sites les plus répugnants qu'elle avait pu trouver. Pas pour lui attirer des ennuis (elle ne s'était pas attendue à tout cela), mais pour lui prouver qu'il ne pouvait pas restreindre son accès Internet et s'opposer à sa « liberté ». L'ado était moins claire sur la nature exacte de la démonstration qu'elle avait voulu communiquer, mais Macie présuma qu'elle avait souhaité montrer qu'elle était une grande fille, tout aussi intelligente que son père. Ce n'était pas logique, bien sûr, mais ayant elle-même des instincts rebelles, Macie comprenait.

Des yeux plaintifs croisèrent son regard.

— Qu'est-ce que je vais faire ?

C'était la première fois que Sam lui demandait son aide, ou même son opinion. Qu'elle le fasse maintenant mit du baume au cœur de Macie. Mais cela lui foutait la trouille. Être le sens moral de quelqu'un d'autre, ce n'était pas du tout son champ d'action, loin de là. Et pourtant la pauvre petite l'implorait littéralement du regard, de ses yeux tristes et pleins d'espoir, attendant sa réponse comme si elle était le dalaï-lama.

Elle tendit le bras et posa sa main sur celle, glacée, de l'ado.

— Il n'y a qu'une seule chose à faire, selon moi, dit-elle avant de prendre une profonde respiration, se préparant à annoncer le message qu'aucun enfant ne voulait entendre. Tu vas devoir tout avouer et dire la vérité à ton père.

Comme Macie s'y attendait, Sam écarquilla les yeux.

— Je dois lui dire que c'est ma faute si tout le monde pense que c'est un pervers ? Il va me tuer.

Incapable de se départir du sentiment d'être la pire hypocrite au monde, Macie serra sa main.

— Tu n'es pas obligée de le faire seule. Si tu veux, je serai là, à tes côtés. Nous lui dirons ensemble.

Sam renifla.

— Vraiment ?

— Oui, vraiment. Maintenant, va chercher ton sac pour qu'on ne soit pas en retard.

Le trajet jusqu'à Bethesda se fit en silence. Au volant de la Ford Explorer de Mannon sur une Wisconsin Avenue bouchée, se prenant presque tous les feux rouges, Macie calcula mentalement les dégâts qu'elle avait déjà faits. Si une alerte Google avait trouvé l'article, ce dernier devait déjà s'être répandu partout. Elle devait appeler Starr et rectifier les choses.

Pourquoi celle-ci n'avait-elle pas pris en compte son intitulé : « rapport intermédiaire, extrêmement confidentiel » ? Et, surtout, pourquoi Macie avait-elle envoyé ce mail aussi rapidement ? En tant que professionnelle, la première chose qu'elle aurait dû faire était de se demander qui, à part Mannon, avait accès à son ordinateur. Elle aurait dû creuser davantage, éliminer toutes les autres possibilités, avant de communiquer ses découvertes comme un fait avéré. Elle aurait dû…

Elles se trouvaient devant le panneau de l'école Sidwell Friends. Elle actionna son clignotant et s'engagea sur le dépose-minute. Depuis plus de cent vingt-cinq ans, ce campus de roche érodée, arborant de grandes pelouses, avait formé les meilleurs esprits de la nation. On préparait Sam, qu'elle le sache ou non, à prendre place parmi eux.

Macie n'allait rester que six semaines dans la vie de la jeune fille, mais elle fut soudain frappée par la gravité de la mission qu'on lui avait confiée en lui demandant de s'occuper d'elle.

L'air morose, Sam ouvrit la portière et sortit. Aussi impatiente soit-elle de passer son appel, Macie ne put toutefois s'empêcher de la rappeler.

— Sam ?

Son sac à dos pendu à une épaule, Sam se retourna.

— Ouais ?

— Tout va bien se passer. Vraiment.

— Ouais, pour vous peut-être. Une fois que papa m'aura tuée, vous pourrez jeter mon corps dans le Potomac. Avec toute cette pollution, je me désintégrerai certainement.

Macie soupira. Elle qui voulait rassurer l'ado…

— C'est une super suggestion, merci. Je la ferai passer à ton père quand j'aurai fini d'affûter les couteaux de cuisine.

— Ou peut-être un bain d'acide comme dans *Pulp Fiction*, ajouta Sam avec un rictus.

Malgré la situation désespérée dans laquelle ils se trouvaient tous, Macie se surprit à réprimer un éclat de rire. La fille de Mannon était un sacré personnage. Peu de personnes devaient apprécier son humour morbide, mais Macie commençait à adhérer.

— J'y songerai. Pour l'instant, zou, à l'école, Morticia.

Sam ferma la portière, mais Macie eut tout de même le temps d'apercevoir son petit sourire. Se sentant mieux elle-même, elle prit son BlackBerry.

Starr répondit à la troisième sonnerie.

— Quoi de neuf, Cendrillon ?

— À toi de me le dire, répondit Macie. Je t'ai envoyé un rapport intermédiaire, et tu publies l'histoire, mon histoire, sans moi ?

— Contrariée que j'ai laissé Terri la signer, hein ?

— Ce n'est pas ça, rétorqua Macie, les dents serrées. Ce mail n'était qu'une mise à jour. Il se trouve que Mannon n'est pas allé sur ces sites. C'est sa… quelqu'un d'autre qui avait accès à son ordinateur.

Parler de Samantha ne ferait certainement qu'empirer les choses.

Le grognement de Starr heurta l'oreille de Macie comme une boulette de papier.

— Ouais, c'est ça, et moi je suis la reine d'Angleterre. Tu es sûre de ne pas prendre cette métaphore de conte de fées trop au sérieux ? Écoute, ajouta-t-elle puisque Macie ne répondait pas, j'ai pris une décision stratégique qui va, vraisemblablement, faire le buzz et mettre les lecteurs en haleine en attendant ton article. D'ici là, avec un peu de chance, on va aussi générer assez d'intérêt pour accroître les ventes et récupérer les sous qu'on a perdus en perdant nos pubs. En un mot, on y gagne !

— Tout ça pour faire du résultat, dit Macie avec dégoût.

Elle qui voulait être l'héritière d'Upton Sinclair, qui voulait se considérer comme une journaliste sérieuse. Elle n'était rien d'autre qu'une génératrice de recettes, elle ne valait pas mieux que les commerciaux qui vendaient ces fameuses pubs.

Elle entendit un soupir à l'autre bout de la ligne.

— Ne me dis pas que ça t'a pris cinq ans pour le comprendre, mais oui, Macie, on est dans l'édition de magazines. C'est les affaires, on n'est pas une œuvre de bienfaisance. La prochaine fois, ne m'envoie rien que tu n'aies pas vérifié à cent pour cent.

Serrant le volant de sa main libre, Macie adopta un ton plus ferme.

— Il faut que tu saches que, cette fois-ci, Mannon ne va pas se contenter de nous attaquer verbalement auprès de ses auditeurs. Si tu ne retires pas cet article et que tu ne communiques pas un désaveu, il va nous faire un procès.

Starr pouffa.

— Qu'il le fasse !

Macie connaissait sa patronne et ne s'attendait pas à ce qu'elle s'excuse, mais qu'elle méprise aussi froidement la vérité et les conséquences qui en découleraient si elle continuait à soutenir un mensonge la stupéfiait.

— Il ne sera pas seul. La radio a des moyens, et ils dépenseront jusqu'à leur dernière pièce pour laver son nom, c'est dans son contrat, sans parler des procès pour des dommages et intérêts.

Cette dernière affirmation était peut-être vraie. Ou peut-être pas. Quoi qu'il en soit, elle espérait que ça allait faire réagir Starr.

— Je vais demander aux gars de l'informatique de retirer l'article, céda sa patronne après un moment d'hésitation. En ce qui concerne le désaveu, je ne peux faire aucune promesse.

— Mais je viens de te dire…

— Ces sites apparaissaient dans son historique, oui ou non ?

— Oui, mais je sais qu'il ne les a pas consultés. C'était quelqu'un d'autre. Bon, c'était sa fille. C'était un canular.

— Et comment tu le sais ?

Macie hésita.

— Elle me l'a dit, confia-t-elle enfin.

— Il ne t'est pas venu à l'esprit qu'elle mentait peut-être pour couvrir son père ?

— Elle n'est pas comme ça.

Starr pouffa de nouveau.

— Ça fait, quoi, quelques jours que tu es là-bas, et tu es déjà experte en ce qui concerne la dynamique de la famille ? T'es psy ou journaliste, Graham ?

La question n'exigeait pas de réponse, mais Macie répliqua quand même.

— Je suis journaliste.

— Super, alors rapporte-moi une histoire qui captivera le public. Je veux que ce soit véridique et que ce soit énorme.

Starr mit fin à l'appel avant que Macie puisse répondre. C'était aussi bien. Que pouvait-elle dire de plus ?

C'était une bonne chose qu'elle n'ait pas repris la route, et pas seulement parce qu'elle n'avait pas son kit mains libres sur elle. Elle posa sa main moite sur le volant froid et s'efforça de faire ralentir son cœur, qui battait à tout rompre. Elle était allée à New York pour devenir une journaliste sérieuse. Le même désir l'avait ramenée à Washington, et pourtant, soudain, elle se sentait loin de « chez elle ». Pire encore, elle ne savait même plus ce que cela voulait dire.

À midi, l'article avait été retiré, sans excuses ni explications. Ce n'était pas suffisant, mais c'était déjà quelque chose. Comme on pouvait s'y attendre, quelques médias libéraux locaux s'étaient emparés de l'histoire, mais, à sa connaissance, celle-ci n'avait pas été saisie au niveau national – pour le moment, du moins. Elle espérait seulement que les relations publiques de Ross s'y connaissaient suffisamment en gestion de réputation pour enterrer l'affaire.

Le soir fut vite là. Comme d'habitude, Stef s'était surpassée (blancs de poulet au four, riz pilaf et sauce ananas-coriandre pour les carnivores ; plat au tofu avec des frites, au romarin et sel de mer pour Sam), mais ils touchèrent à peine à leurs assiettes.

Après plusieurs tentatives avortées, Sam finit enfin par se lancer.

— Papa, j'ai quelque chose à te dire.

Ross leva les yeux de son assiette, dans laquelle il triturait depuis quelques minutes un morceau d'ananas.

— Qu'y a-t-il ma puce ?

Macie prit Sam par la main.

— Vas-y.

— Vous m'inquiétez, dit Ross en les regardant tour à tour.

Sam serra la main de Macie et, tremblante, inspira profondément avant de déballer toute l'histoire. Évidemment, Ross fut d'abord choqué, puis furieux.

— En allant sur ces sites, tu as révélé mon adresse IP, et n'importe qui pouvait y avoir accès. Le salaud qui m'a dénoncé s'est certainement introduit sur mon ordinateur, et maintenant ma carrière et ma réputation sont en danger. J'ai été en réunion pendant toute la matinée avec l'avocat. Te rends-tu compte combien d'heures et de milliers de dollars ont été gaspillés ? Non, bien sûr que non ! Eh bien, tu auras le temps d'y penser, parce que tu es punie, jeune fille ! Tu vas à l'école et tu reviens, et c'est tout.

Sam relâcha enfin la main de Macie. Elle n'était ni exilée ni morte, mais on aurait dit qu'elle pouvait disparaître à tout moment.

— Je pense que nous pourrons faire avec, n'est-ce pas, Sam ? intervint Macie en étirant ses doigts engourdis, le regard posé sur l'adolescente.

— Oui, je suppose. Pour combien de temps ? demanda Sam, les lèvres tremblantes.

— Aussi longtemps que je le dirai, répliqua Ross. Maintenant, viens ici. Viens ici !

Elle se leva lentement de sa chaise et fit le tour de la table. Elle s'arrêta devant lui et le regarda, l'air méfiante.

— Je suis trop vieille pour prendre une fessée, hein ?

Il poussa un soupir las.

— Je ne sais pas pour toi, mais moi, je suis trop vieux pour ça, c'est sûr. Et je sais qu'on aurait tous les deux bien besoin de ça.

Il ouvrit les bras et enlaça tendrement sa fille. Samantha se mit à sangloter contre son torse.

— Oh, papa, je suis tellement désolée !

— Je sais, chérie, murmura-t-il en lui caressant le dos.

En les observant, Macie sentit son cœur se serrer. Qui que soit Ross Mannon – une personnalité conservatrice médiatique, un porc sexiste, l'homme qui la ferait peut-être virer–, c'était aussi un bon père. Et il méritait de se l'entendre dire.

Elle attendit que Samantha soit dans sa chambre pour reprendre la parole.

— Vous êtes un super papa.

Il grimaça.

— Merci, ça fait plaisir à entendre. Surtout quand une bonne portion du public américain finira sa semaine en pensant que je suis un pédophile.

— Je le pense sincèrement. Sam a de la chance de vous avoir. Après aujourd'hui, je pense qu'elle aussi en est consciente.

Il s'adossa à sa chaise et observa Macie un long moment. Elle était troublée par ce regard intense.

— Comment faites-vous, mademoiselle Gray ? finit-il par demander.

— Monsieur ?

— Comment faites-vous pour me redonner le sourire alors que je traverse un moment très pénible ?

Gênée de recevoir des louanges qu'elle ne méritait pas, Macie se leva pour débarrasser la table.

— Non, laissez ! ordonna Mannon en lui faisant signe de se rasseoir. Vous parler est bien plus bénéfique que n'importe quelle thérapie.

Cela lui fit chaud au cœur, mais elle devait se rappeler qu'elle avait à dénicher des infos… et à écrire un article.

— Et qu'est-ce que vous savez sur les thérapies ?

Dès qu'elle eut prononcé ces mots, elle sentit son visage s'empourprer. Décidément, elle ne disait que des bêtises ! Il lui avait déjà confié que Samantha voyait un psychologue. Bon sang, il avait même inclus le rendez-vous chez le médecin dans le planning hebdomadaire qu'il lui avait donné.

— J'ai manqué de tact. Je suis vraiment désolée.

Aussi fou que cela puisse paraître, elle l'était sincèrement. Mannon haussa les épaules.

— En fait, la mère de Sam et moi avons passé du temps en thérapie familiale après le divorce, pour essayer de travailler sur nos « problèmes de maîtrise de la colère », comme les appelait le thérapeute, afin d'être capables de nous partager la garde de Sam.

— J'imagine que la thérapie a fonctionné, fit-elle remarquer en se souvenant de la trace de rouge à lèvres sur sa joue.

Il hésita.

— Ça nous a aidés, mais ce qui a aidé plus que tout, c'est d'avoir parlé tous les deux en tête à tête. Tard un soir, alors que nous étions tous les deux à bout, épuisés, nous avons fait une trêve, assis devant une tasse de café pour moi et de thé pour elle, et conclu un pacte. Peu importait le nombre d'heures que cela prendrait, ou la fatigue ou la colère que nous pourrions ressentir, aucun de nous deux ne partirait tant que nous n'aurions pas réglé les choses afin d'être de bons parents pour Sam.

— C'est très courageux.

Elle le pensait.

— Je croyais que nous étions arrivés à un bon arrangement, jusqu'à ce que Sam débarque ici au milieu de la nuit. J'ai commencé à perdre espoir. Puis vous êtes arrivée. Je sais que vous n'êtes pas là depuis une semaine, et pourtant je commence à me demander comment nous faisions sans vous.

Le regard chaleureux qu'il lui adressa lui gonfla le cœur et accrut son sentiment de culpabilité.

— Je ne suis que la gouvernante, affirma-t-elle en dépit de la boule qui lui serrait la gorge. Je ne fais rien de spécial.

Si on met de côté le fait que j'essaie de gâcher votre vie…

Mais Mannon était inflexible.

— C'est là que vous vous trompez, mademoiselle Gray. Tout ce que vous faites est spécial.

Le dîner de remise des prix se déroulait le samedi suivant. Dans trois jours. Presque une semaine s'était écoulée, et pourtant Ross n'avait pas encore demandé à Martha Jane de l'accompagner. Certes, il avait été très occupé, restant tard à la station de radio entre autres pour étouffer les derniers retours de flammes causés par ce fichu blog. Toutefois, en toute honnêteté, ce n'était pas le temps qui lui avait manqué mais le courage.

Que redoutait-il tant ? Il était Ross Mannon, le Ross Mannon dont la voix et les opinions se frayaient un chemin dans les foyers de dizaines de milliers d'Américains chaque semaine. Pourquoi avait-il soudain l'impression d'être un ado craintif sur le point de demander à la reine du bal de promo de sortir avec lui ?

— Mademoiselle Gray, vous avez un instant ?

Martha Jane ferma le placard où elle venait de ranger une tasse à café et se tourna vers lui, le transperçant de ses yeux bleu-gris. Comment faisaient les femmes pour rester aussi calmes et sereines alors que lui suait à grosses gouttes sous sa chemise ?

— Bien sûr. Que puis-je faire pour vous ? demanda-t-elle.

Voilà qui était une question tendancieuse. Il hésita. Il n'avait pas eu les mains aussi moites depuis la première fois qu'il avait eu le cran de toucher les seins d'une fille.

— J'ai quelque chose à vous demander, une faveur en réalité. Toutefois, je veux que vous sachiez que vous pouvez tout à fait refuser.

Elle lui adressa un sourire aimable.

— Et si vous me disiez simplement de quoi il s'agit ?

— J'ai ce… truc, samedi soir, un banquet de remise de prix, et, eh bien, ce n'est pas le genre de réception à laquelle on se rend seul. Enfin, je pourrais y aller seul, mais je me demandais si…

— Docteur Mannon, êtes-vous en train de me demander d'y aller avec vous ?

— J'imagine que oui. Mais, si vous pensez que je dépasse les limites, dites-le-moi, et je retire ma demande. Je ne voudrais pas vous mettre mal à l'aise.

Inviter sa gouvernante, sa jeune gouvernante sexy..., ce devait être exactement le genre de situation à éviter pour ne pas être accusé de harcèlement sexuel.

Comme si elle lisait dans ses pensées, elle déclara :

— Écoutez, docteur Mannon, je ne vais pas vous faire un procès pour harcèlement sexuel, si c'est ce que vous pensez. Et oui, je serais ravie d'y aller avec vous.

Le soulagement qu'il ressentit était irraisonné. Jusque-là, il ne s'était pas rendu compte à quel point il redoutait d'y aller seul.

— C'est formidable. Seulement, je ne sais pas si vous vous amuserez beaucoup. C'est l'un de ces dîners guindés et ennuyeux, avec un programme de remise de prix et un orateur. Toutefois, nous partagerons une table avec six autres personnes, vous ne serez donc pas coincée avec moi.

Elle eut l'air amusée.

— Merci, mais cela ne m'inquiétait pas. Je suppose que la tenue de soirée est exigée ?

— Oui, confirma-t-il, rongé par l'impression d'être redevenu un adolescent et faisant de son mieux pour ne pas trépigner de nervosité. J'espère que cela ne pose pas de problème.

Il marqua une pause. Peut-être devait-il proposer de lui payer une robe ? Mais comment s'y prendre pour ne pas la froisser et les mettre tous deux mal à l'aise ?

Elle le sauva en hochant brièvement la tête.

— Je trouverai quelque chose.

— Merci, vous me sauvez la vie. Nous n'avons pas à rester toute la soirée, seulement jusqu'à ce que les prix soient remis.

— Si vous me permettez, pourquoi y allez-vous si vous n'aimez pas ça ?

— Parce que je… euh…, hésita-t-il, sentant la sueur perler sur son front. Je reçois l'un des prix.

Elle écarquilla les yeux.

— Waouh, félicitations ! Puis-je vous demander dans quelle catégorie ?

Il hésita de nouveau, et elle laissa échapper un petit rire.

— Si vous préférez, je peux attendre et regarder sur le programme.

— Républicain de l'année, confia-t-il timidement.

Il était mortifié. Sa vie professionnelle était une chose, mais il avait toujours été introverti socialement parlant.

— C'est… un honneur, dit-elle.

Il haussa les épaules, sentant ses oreilles chauffer.

— En temps normal, je n'irais pas et les laisserais m'envoyer le trophée, la plaque ou quoi que ce soit par courrier. Mais vu la situation, après la publication d'*On Top*, la radio insiste pour que j'y aille. Les frasques de Sam nous ont coûté cher, je ne peux pas vraiment y échapper.

— Je vois.

— Ce ne sera pas vraiment un rendez-vous. Vous serez ma cavalière pour le dîner. Et, bien sûr, je vous dédommagerai pour votre temps.

Son sourire s'amincit.

— Vous voulez me payer pour y aller avec vous ?

Le rouge qui envahit ses joues lui confirma qu'il avait fait une gaffe.

— Comprenez-moi, docteur Mannon, je suis ravie de vous accompagner, mais jamais je n'oserais vous facturer mon temps.

Il voulut protester, mais elle le fit taire d'un regard. La seule autre femme qui y parvenait était sa mère.

— Ce n'est pas tous les jours qu'une fille de Heavenly, petite ville de l'Indiana, a la chance de côtoyer l'élite puissante de Washington. Vraiment, c'est vous qui me ferez une faveur en me donnant l'occasion de jouer à Cendrillon pour la soirée.

Ross n'avait pas vu les choses sous cet angle.

— Eh bien, si vous êtes sûre que cela ne vous dérange pas…

— Pas le moins du monde. J'ai hâte de le raconter à tout le monde chez moi !

Macie passa son premier coup de téléphone à Franc. Lovée dans sa couette quelques heures plus tard, elle murmura dans son téléphone :

— On dirait bien que les chaussures de Maddie vont pouvoir faire une sortie après tout. Je vais à un bal, enfin à un banquet, samedi.

— C'est super, ma chérie. Avec qui ?

C'était une question légitime. On ne se rendait pas seule à un banquet. Pourtant, elle eut besoin d'un instant avant d'admettre :

— Ross Mannon.

Elle repensa à sa timidité si attachante et rafraîchissante quand il lui avait demandé d'être sa cavalière. Mais jouer les timides était peut-être son mode opératoire et demander de l'aide son talon d'Achille.

Samantha avait parlé d'une Mme Alvarez. Un sosie de Jennifer Lopez lui vint à l'esprit, et, inexplicablement, elle se sentit… jalouse. Elle nota mentalement de se renseigner sur l'ancienne gouvernante de Ross et de parler avec elle, si elle était toujours dans le coin.

Franc soupira.

— Je l'ai vu en photo. Il est mignon.

— Je sais que tu adores jouer les entremetteurs, mais c'est pour le boulot, insista Macie, se demandant qui elle essayait de convaincre. Je suis en mission, tu te rappelles ? Le dîner sera la première occasion pour moi de l'observer sur le terrain parmi ses pairs.

Franc gloussa.

— Comme tu veux, Margaret Mead. Donne-moi les détails, à commencer par ce que tu vas porter.

— Bonne question, admit-elle. À part tes chaussures, je n'ai rien pris d'habillé.

— On dirait bien que notre petite Cendrillon va devoir aller faire les boutiques.

— J'y vais à la première heure demain matin.

Heureusement, les boutiques de Georgetown Park, hébergées dans un ancien entrepôt de tabac du XIXe siècle dans le quartier historique de Georgetown, n'étaient pas très loin en voiture. Elle allait sans aucun doute trouver une robe digne d'un banquet dans l'immense centre commercial haut de gamme. Quoi qu'elle porte, ce devait être à tomber, l'équilibre parfait entre subtil et sexy.

Parce que, même si elle n'était que la cavalière de son patron, une infime partie d'elle-même voulait que Ross Mannon souhaite que cette soirée soit un vrai rendez-vous galant.

Le samedi soir fut vite là pour Ross. Il enfila son costume à la dernière minute, et pourtant il fut le premier à être prêt. Martha Jane avait disparu un peu plus d'une heure auparavant et n'était pas encore ressortie de sa chambre. Mais cela ne le dérangeait pas d'attendre. Les événements formels n'étaient pas sa tasse de thé, et, récompense ou pas, il n'était pas pressé de se rendre à cette réception. Et puis l'attente lui donnait l'occasion de passer du temps en tête à tête avec Sam. Même si elle était punie, il voulait s'assurer qu'elle ne se sente pas rejetée. Contrairement à Internet, la télé était toujours au programme. Il s'installa près d'elle sur le canapé pour regarder le film qu'elle avait déjà entamé.

Pris par *Retour vers le futur*, il perdit toute notion du temps. Une petite toux factice le ramena au présent. Il regarda par-dessus son épaule, et eut le souffle coupé.

Martha Jane se tenait sur le seuil du salon dans une petite robe de cocktail noire et pas grand-chose d'autre. Ce n'était pas une mini robe, mais elle lui arrivait tout de même bien au-dessus des genoux. Un scintillement attira son œil. Presque malgré lui, il laissa glisser son regard sur ses longues jambes sculptées pour admirer ses chaussures à talons rouges, ornées de brillants.

Ross se leva d'un bond, la télécommande glissant de ses doigts soudain nerveux.

— Vous êtes…

Waouh! lui vint à l'esprit, mais il se rappela que les hommes matures de plus de trente ans n'utilisaient pas ce mot-là. Il releva la tête vers son visage, faisant de son mieux pour ne pas s'attarder sur la rondeur de ses seins, mis en valeur par le décolleté pourtant simple, et il eut la confirmation que les chaussures n'étaient pas les seules à resplendir. Les yeux de Martha Jane étaient pareils à des saphirs.

— Vous êtes super sexy, finit Sam à sa place en regardant Martha des pieds à la tête.

Martha Jane partit d'un rire nerveux.

— Merci, Sam. C'est très gentil de ta part.

Elle avait beau avoir l'air calme, Ross vit qu'elle rougissait, réaction absolument charmante vu comme elle était splendide.

Ayant oublié son film, Sam se mit à genoux pour regarder par-dessus le dossier du canapé.

— Elles sont trop belles, vos chaussures. Je pourrai les emprunter un jour ?

— Certainement pas, répondit Ross.

— J'espère que c'est assez habillé, dit Martha Jane à Ross avec un sourire en montrant sa robe simple mais renversante.

Ou peut-être n'était-ce qu'une robe normale, magnifiée par celle qui la portait. Martha Jane serait ravissante dans n'importe quoi, dans un sac ou, mieux encore, dans des draps.

— Vous êtes… parfaite, dit Ross en admirant de nouveau ses jambes.

Longues et bien proportionnées, elles avaient jusque-là été à moitié dissimulées par les jupes mi-longues que Martha Jane portait d'ordinaire. Leur nudité soudaine évoquait un tas de possibilités, dont la plupart étaient interdites aux moins de dix-huit ans. Que ressentirait-il en remontant sa main le long de sa cuisse soyeuse pour découvrir si sa tenue incluait une petite culotte en dentelle ? Il se força à s'arracher du pays des fantasmes. Qu'est-ce qui n'allait pas chez lui ? Cette femme était sa gouvernante et, de fait, la nounou de Sam. Elle avait gentiment accepté de l'aider en l'accompagnant à ce dîner. Elle méritait toute son estime, sa retenue et son respect, et au lieu de cela il se comportait comme un ado en proie à ses hormones venant de mettre la main sur son premier catalogue Victoria's Secret.

Elle lui adressa un sourire tendre, et Ross sentit son ventre se nouer.

— Merci. Vous aussi, vous êtes très élégant.

Il tira sur ses manchettes même si elles tombaient parfaitement, comme le reste du smoking. Petit, il n'aurait jamais imaginé avoir son propre smoking un jour, et encore moins un Armani. À l'époque, il aurait cru qu'un Armani était un plat de pâtes !

Il repensa au premier smoking qu'il avait loué pour son bal de promo, un ensemble bleu pastel avec une chemise à volants ridicule, et se dit qu'il devrait méditer plus souvent à la chance qu'il avait d'être arrivé aussi loin dans la vie et s'en sentir reconnaissant.

Il consulta sa montre.

— L'apéritif commence à 18 heures.

Il avait horreur des bavardages futiles et n'assistait jamais d'ordinaire à la réception précédant le dîner ; pourtant, étonnamment, il avait hâte d'y être ce soir-là. Il se retourna vers Samantha.

— Rends service à ton vieux père : ne fais pas brûler l'immeuble pendant que nous ne sommes pas là.

Ignorant la réaction de sa fille, qui levait les yeux au ciel, il se retourna et offrit son bras à Martha Jane.

— Prête ?

Le dîner de la Fondation du Patrimoine, qui avait lieu au *Hay-Adams*, hôtel historique, débuta comme une soirée de Cendrillon. Admirant le grand monument de style Renaissance par la fenêtre de la voiture, Macie dut se rappeler qu'elle était en mission et que rien n'était vrai à propos de cette soirée. Pas pour elle.

Donnant ses clés au valet, Ross sortit de voiture, fit le tour jusqu'au côté passager et ouvrit sa portière.

— Nerveuse ? demanda-t-il en lui offrant son bras.

— Un peu, admit-elle.

Elle sortit sous les flashs des appareils photo et prit un instant pour lisser sa robe avant de passer son bras sous le sien.

Elle avait couvert des événements people à New York, mais jamais elle n'avait foulé le tapis rouge en tant qu'invitée. Être au premier plan ou observer depuis la touche procuraient deux sentiments bien différents.

— Ne le soyez pas, murmura Ross en posant sa main libre sur la sienne. Vous êtes magnifique.

Son sourire fit ressortir ces plis si craquants au coin de ses yeux.

Elle ressentit une bouffée de chaleur pour la deuxième fois de la soirée, et elle ne put plus nier l'évidence : elle rougissait. Elle n'avait pourtant jamais été du genre à rougir pour un rien ! Jouait-elle son rôle si bien qu'elle devenait Martha Jane Gray petit à petit ? Ou était-ce le fait d'être avec Ross Mannon qui faisait ressortir la fille optimiste qu'elle avait été autrefois, celle qu'elle avait enterrée depuis longtemps, après tant d'efforts ?

Elle baissa la tête, ne feignant nullement sa timidité soudaine.

— Merci. C'est très gentil.

Si elle se sentait mal à l'aise, elle n'était pas la seule. Ross rougit en la regardant dans les yeux.

— Non, ce n'est pas gentil, c'est la vérité, déclara-t-il avant de détourner le regard. Le banquet se tient au neuvième étage. Je n'y suis jamais allé, mais il doit y avoir une belle vue.

Comme toujours, elle se réfugia derrière son personnage pour se ressaisir. Les yeux volontairement grands comme des soucoupes, elle demanda :

— Pensez-vous que nous verrons Newt Gingrich ?

La guidant vers la porte en forme d'arche puis dans l'entrée richement décorée, Ross hésita, l'air beaucoup moins enthousiaste qu'elle ne l'aurait pensé.

— S'il est en ville, il sera certainement là.

— Pensez-vous qu'il me laissera le prendre en photo pour ma maman ? Elle l'adore.

Il lui lança un regard peiné.

— Je ne sais pas. Je peux lui demander… même si, pour être honnête, je ne l'aime pas trop.

Cela la surprit.

— Parce que vous désapprouvez sa vie personnelle ou parce que vous n'aimez pas sa politique ?

— Les deux, répondit-il sans hésiter, avant de la guider vers l'ascenseur.

Se serrant dans l'espace étroit avec d'autres invités aussi élégamment habillés, elle se cogna contre un vieil homme distingué.

— Toutes mes excuses, jeune demoiselle, dit-il avec un accent rocailleux du Kansas, bien qu'elle soit en tort.

C'était une occasion trop belle de jouer son rôle pour qu'elle la laisse passer. Elle attendit que les portes de l'ascenseur se ferment, puis se tourna vers Ross et murmura, volontairement un peu fort :

— Oh, mon Dieu ! Je viens d'effleurer Bob Dole. Bob Dole ! Waouh !

Le sénateur américain à la retraite et ancien candidat à la présidentielle était en effet l'homme qui se tenait tout près. Croisant son regard, elle lui décocha un clin d'œil très « Macie Graham ». Elle surjouait certainement son rôle de péquenaude, mais elle s'amusait tellement. Pourquoi arrêterait-elle ? Elle regarda Ross, s'attendant à ce qu'il soit mortifié, mais elle vit les coins de sa bouche se contracter. Mince, il n'était pas mortifié ! Loin de là. Il se retenait de rire !

L'apéritif battait son plein lorsqu'ils arrivèrent. Ross attrapa deux coupes de champagne sur le plateau d'un serveur, et ils se déplacèrent dans la pièce, socialisant sous les airs standards que jouait un pianiste, comme *Stormy Weather* et des tubes des comédies musicales d'Andrew Lloyd Webber. Suivait un dîner à table dans la salle Thomas Jefferson. De magnifiques mosaïques et du marbre pâle offraient un décor sobre mais élégant aux huit tables couvertes de belles nappes crème et or, chacune couronnée d'un centre de table floral de roses rouges et blanches. De larges baies vitrées s'ouvraient sur une terrasse depuis laquelle on pouvait voir la Maison-Blanche, le parc Lafayette et l'église Saint-John.

Le service étant sur le point de commencer, Ross guida Macie à leur table, à l'avant de la salle. Leurs cinq partenaires déjà assis étaient des personnalités recevant des prix et leurs conjoints, lui expliqua-t-il. Les présentations furent faites, parfois simplement poliment, parfois plus chaleureusement. Macie serra la main du président d'une université prestigieuse, d'un acteur célèbre connu pour ses rôles de flic et de cow-boy, et d'un juge de la Cour suprême à la retraite. Elle refusait de l'admettre, mais elle était impressionnée et intimidée : elle n'était pas dans son élément.

S'installant dans la chaise que Ross lui tirait, elle regarda le seul siège encore vide.

— Il semblerait que nous ayons un invité mystère, murmura-t-elle.

Était-ce son imagination ou s'était-il raidi ?

— Parfois, les donateurs achètent des sièges pour que leur nom apparaisse sur le programme et arrivent tard, ou ne viennent pas, expliqua-t-il en se laissant tomber sur la chaise à côté d'elle.

Sa voix semblait… pleine d'espoir. Un menu imprimé était fourni à chaque convive. Il y aurait cinq plats, chacun préparé par un chef différent et associé à un vin unique. Elle allait sauter le premier plat, une mousse de foie gras à la truffe blanche. Elle n'était certes pas végétarienne, mais manger les foies d'oies gavées n'était pas bon pour le karma selon elle, et elle ne voulait pas prendre de risque.

Une armée silencieuse de serveurs en smoking apparut avec des bouteilles de vin blanc frais et des plateaux d'argent portant leur premier plat. Ross fit passer la panière de pain à Macie.

— Si vous ne l'aviez pas encore remarqué, je suis un homme à viande et à patates ; mais j'aime penser que ma viande a vécu une vie décente ou qu'elle s'est bien battue.

Il lui adressa un adorable sourire en coin, et cela réchauffa le cœur de Macie.

— Merci, dit-elle en prenant un petit pain et un peu de beurre en forme de rose.

Après le foie gras, les choses s'améliorèrent. Dans l'ensemble, la nourriture était bien meilleure que le poulet caoutchouteux auquel Macie s'était attendue. Enfin, à 8 000 dollars l'assiette et à 60 000 dollars la table, il valait mieux. Ils venaient de finir leur plat, du cabillaud mariné au saké, quand Macie repéra une grande et belle brune qui s'approchait d'eux. Même de loin, Macie vit instantanément que la longue robe en mousseline était signée Dior et que celle qui la portait était la photographe de mode mondialement connue, Francesca St. James. Résistant à l'envie de se ratatiner sur sa chaise, elle prit une grande gorgée de pinot gris et s'efforça de garder son calme. Cela ne servait à rien d'être parano. Elle avait rencontré l'Anglaise une seule fois, et très brièvement, un an auparavant, pour une séance photo pour le magazine. Shooter le numéro du printemps à Central Park en plein hiver avait mis à rude épreuve la patience de tous, surtout des mannequins qui avaient la chair de poule, mais Francesca avait été infailliblement positive et professionnelle, poussant tout le monde à faire de son mieux malgré le froid et le manque de café. À l'époque, Macie arborait une permanente rousse et d'extravagantes fringues grunge. Avec son nouveau look, Francesca ne la reconnaîtrait certainement pas.

Ross poussa sa chaise et se leva poliment.

— Frannie, tu es juste à l'heure pour le dessert.

Frannie ? Il fallut un moment à Macie pour rassembler les pièces du puzzle. L'ex-femme de Ross était Francesca St. James ? Bordel de merde, ce n'était pas possible ! Si ? Macie regarda Ross pour jauger sa réaction, mais, à part ses joues un peu colorées, il avait l'air impassible.

Francesca prit une pose décontractée qui accentua chaque nuance de sa robe moulante et la silhouette visiblement dénuée de cellulite.

— Chéri, tu crois vraiment que je mange du dessert ?

— Très juste, dit-il en se penchant pour l'embrasser sur la joue qu'elle lui tendait.

En les regardant, Macie sentit son humeur s'assombrir, et pas seulement parce qu'elle avait peur d'être démasquée. L'ex de Ross était tout ce que Macie n'était pas : elle était authentique, ce n'était pas un caméléon ni un imposteur. Contrairement à Macie, Francesca n'avait pas besoin de courir après la mode ni de se cacher derrière des costumes. Elle était indépendante et avait son propre style. À côté d'elle, Macie se sentait à présent mal fagotée, surtout que ses chaussures rouges, l'accessoire qui lui donnait l'impression d'être elle-même, étaient cachées sous la table.

Ross recula et tira la chaise vacante.

— Un café, alors ?

Le tissu bruissa tandis que Francesca se glissait sur son siège.

— Un expresso, ce serait parfait.

— Je vais voir ce que je peux faire.

Il se tourna et appela leur serveur. Francesca observa Macie de son regard calme et félin.

— Vous devez être la gouv… la cavalière de Ross.

— Oui, je suis Martha Jane.

— Ross m'a dit que vous veniez de déménager de New York. Excusez-moi, mais nous sommes-nous déjà rencontrées ?

Macie secoua la tête.

— Je pense que nous évoluons dans des cercles très différents.

Une photographe de mode glamour et une humble gouvernante avaient peu de chance de se croiser en société. Francesca fit la moue.

— Ma chère, je suis photographe. J'oublie parfois les noms, mais jamais je n'oublie un visage, surtout un visage aussi saisissant que le vôtre.

Macie haussa les épaules, le cœur battant.

— Il paraît qu'on a tous un double quelque part dans le monde.

Tambourinant la table de ses ongles manucurés, Francesca ne détourna pas le regard.

— Peu importe, ça me reviendra.

Macie repensa à la séance photo de Francesca pour *On Top*. L'Anglaise était une professionnelle accomplie, pas une diva mais une vraie perfectionniste. Du rouge à lèvres du mannequin au chewing-gum gelé gâchant le chemin du parc autrement immaculé, aucun détail ne lui avait échappé. Ce n'était qu'une question de temps avant que Francesca se souvienne d'elle, et elle devrait alors s'attendre au pire.

L'arôme de chicorée du café fraîchement préparé emplit l'espace. Des plateaux de desserts passèrent entre les tables. Le maître de cérémonie monta sur le podium.

— Ce soir est une soirée très spéciale pour honorer les personnes et les initiatives qui illustrent les valeurs américaines et les principes que la Fondation du Patrimoine soutient depuis sa création en 1973. Pour sa défense infatigable et parfois fougueuse de la famille américaine, nous honorons ce soir le docteur Ross Mannon, désigné Républicain de l'Année. Docteur Mannon, je vous en prie, venez donc sur scène pour recevoir nos sincères remerciements, ainsi que votre prix.

Macie croisa le regard de Ross et, cédant à son intuition, lui sourit. Cette fois, ce n'était pas Martha Jane qui souriait. C'était Macie, seulement Macie. Sous la table, il prit soudain sa main et la serra. Puis, tout aussi brusquement, il la lâcha et se leva pour se faufiler entre les tables jusqu'au podium. Une fois sur scène, il se retourna pour faire face à l'auditoire, avec une grâce et un aplomb à couper le souffle. Il serra la main du maître de cérémonie et accepta la statuette.

Il prit le micro et commença son discours.

— Mes chers amis, la plus grande vertu américaine peut se résumer en un mot : le caractère. Notre intégrité imperturbable, notre honnêteté…

« Intégrité », « honnêteté »… Soudain, Macie sut que, si elle restait pour écouter la fin de son discours, elle ne serait jamais capable d'aller au bout de sa mission. L'Opération Cendrillon serait terminée, et sa carrière aussi. Elle avait besoin de prendre l'air et de réfléchir.

Elle se leva d'un bond, se cognant à la table, faisant déborder les tasses de café sur l'onéreux tissu. Évitant le regard surpris de Francesca, elle attrapa sa pochette et se dirigea tout droit vers la sortie.

Elle pourrait prendre un taxi pour retourner à l'appartement de Ross. Elle lui dirait qu'elle s'était sentie mal. Ce n'était pas totalement faux. Elle traversa le hall de l'hôtel et sortit pour rejoindre la file d'attente des taxis lorsque son pied droit céda. Qu'est-ce que… ? Elle se pencha : son talon en velours s'était fendu en deux. Et dire que ces chaussures étaient censées lui porter chance…

Elle eut soudain les larmes aux yeux. Regrettant de ne pas avoir mis de mascara waterproof, elle s'efforça de les empêcher de couler. Depuis quand était-elle aussi sentimentale ? C'était stupide. Ce n'était qu'une chaussure, après tout ; elle n'était pas dans un conte de fées.

Une main se posa sur son épaule. Elle se retourna, perdit l'équilibre…, et Ross la rattrapa.

— Eh, princesse, c'est déjà l'heure de la citrouille ? C'est impossible, il n'est pas encore minuit.

Jamais elle n'avait été aussi heureuse qu'on la rattrape.

— J'ai bien peur d'avoir eu un petit souci.

Il suivit son regard.

— Quel dommage ! Je connais un très bon cordonnier. Il ne peut rien pour vous ce soir, mais nous les déposerons demain matin à la première heure.

Sa façon désinvolte de dire « nous » lui fit chaud au cœur, tout comme le fait d'être serrée contre lui, contre son corps puissant. C'était incroyablement agréable.

— Merci.

— De rien.

Il hésita, puis passa un bras autour de sa taille. La chaleur de sa paume sembla brûler la soie noire. De son autre main, il tenait sa statuette.

— Félicitations pour votre prix. Je suis désolée d'avoir loupé la fin de votre discours.

Il haussa les épaules, comme si cette récompense était une bagatelle.

— Je suis désolé de vous avoir laissée dans la fosse aux lions. Ça a été avec Frannie ? Elle n'a pas été méchante avec vous ?

— Elle peut être un peu… intense, dit-elle après un instant d'hésitation.

Ross éclata de rire.

— C'est un euphémisme !

— Pour ce que ça vaut, je l'admire sincèrement. Elle est intelligente, pleine d'esprit, talentueuse et, bien sûr, magnifique.

Tout était vrai. Elle regarda Ross, attendant qu'il confirme. Mais il haussa un sourcil.

— J'ai l'impression qu'il y a un « mais » quelque part, remarqua-t-il.

Il y en avait un, en effet. Pourtant, elle hésitait à le lui confier.

— Je ne vous imaginais pas avec une femme pareille.

Se demandant si elle était allée trop loin, elle se mordit la lèvre, un tic nerveux que Martha Jane et Macie partageaient parfois, malheureusement.

— Je n'aurais pas dû dire ça, s'excusa-t-elle.

Ross secoua la tête.

— Ne vous excusez pas. Avec le recul, j'ai du mal à l'imaginer moi-même.

Le rire qu'il laissa échapper mit Macie plus à l'aise, autant du moins qu'elle pouvait l'être en se faisant passer pour une autre.

— Écoutez, dit-il sans la lâcher. Je sais que votre chaussure est cassée et que vous ne pouvez certainement pas aller très loin, mais Washington est une très belle ville, surtout de nuit. Et si je récupérais la voiture et que nous allions dans un endroit plus calme d'où vous pourrez admirer la ville ?

Macie se tenait seule avec Ross sur la terrasse du toit du Kennedy Center, une flûte de champagne à la main, et le panorama de Washington et de la Virginie s'étendant à ses pieds. Au sud-est, elle apercevait le dôme et la colonnade classique du Jefferson Memorial, et l'obélisque du Washington Monument. Au nord se trouvait le complexe cylindrique du Watergate, où Ross habitait. Une myriade de lumières scintillait sur le port de Georgetown, donnant l'impression que le port marin était un village de conte de fées miniature. D'autres lumières traçaient le contour du Memorial Bridge, qui traversait le fleuve jusqu'en Virginie. De ce point de vue privilégié, le Potomac ressemblait à un grand miroir d'eau, comme ceux qu'on trouvait dans les centres commerciaux dans les années 1970 et 1980, et dont le fond était recouvert de pièces qu'on y avait lancées en faisant un vœu.

Fais un vœu, Martha Jane.

Levant les yeux vers le ciel étoilé, Macie fit le vœu de pouvoir changer qui elle était et la raison de sa venue, au moins pour cette soirée.

— Vous avez froid ?

La question de Ross la ramena au présent.

La brise était juste assez fraîche pour lui donner la chair de poule.

— Un peu, admit-elle, mais c'est si beau ici, je ne veux pas rentrer tout de suite.

Elle n'était venue qu'une seule fois dans ce centre d'arts du spectacle, quand elle était étudiante. Un professeur de l'université lui avait gentiment offert un billet pour une représentation de *Dernier Coup de ciseaux* au *Theater Lab*, mais la terrasse était provisoirement fermée quand elle était venue. S'efforçant de trouver un équilibre entre ses cours et ses petits boulots, Macie n'avait pas pu revenir. À présent, grâce à Ross, elle sirotait du champagne sur la terrasse en marbre, vêtue de soie noire, quoique pieds nus.

— Tenez, prenez ma veste, dit-il en la retirant.

Ignorant ses protestations, il la passa autour de ses épaules.

Serrant la veste autour d'elle, elle prit un moment pour savourer le léger parfum de santal que la chaleur du tissu avait absorbé sur le corps puissant de Ross. Presque à bout de souffle, elle détourna le regard et vit la statuette, mini statue de la Liberté, posée sur l'une des tables.

— Où allez-vous la mettre ?

Le trophée était un étonnant morceau de verre et de bois doré. Pourtant, Ross ne semblait pas impressionné. Il avait même suggéré de l'envelopper dans une vieille serviette et de le mettre dans le coffre de sa voiture.

— Je ne sais pas, répondit-il en haussant les épaules.

Le mouvement étira sa chemise blanche sur ses larges épaules et son ventre plat.

Seule avec lui sur la terrasse, elle n'imaginait que trop facilement qu'elle pourrait déboutonner cette chemise avant de la lui enlever lentement. Ce fantasme si vif dans son esprit tira une sonnette d'alarme en elle. Elle baissa les yeux sur son champagne, déjà à moitié vide, et s'exhorta à ralentir. Cela faisait deux semaines qu'elle avait cessé sa vie de fêtarde, et sa tolérance à l'alcool avait baissé. Elle n'était pas ivre, mais un peu pompette. Ross prit une gorgée de son champagne et regarda au-delà de la rambarde, et Macie profita de l'occasion pour admirer les lignes nettes de son profil. Quoi qu'il soit ou ne soit pas, Ross Mannon en smoking et éclairé par la lune, c'était sans conteste une vision stupéfiante.

— Toutes les récompenses du monde ne valent rien quand on n'a personne avec qui les partager, souffla-t-il avant de se tourner vers elle. Merci d'être là avec moi ce soir.

Gênée, elle baissa les yeux.

— Sam est fière de vous. Ça doit bien compter, non ?

Il secoua la tête.

— Je suis sur sa liste noire depuis que je lui ai confisqué ce fichu magazine.

Macie grimaça. Elle se demanda, et ce n'était pas la première fois, pourquoi un article sur les relations sexuelles chez les ados l'avait tant affecté. Pourtant, en entendant la douleur dans sa voix, elle insista :

— Non, elle l'est vraiment.

— Je vais devoir vous croire sur parole.

Il avait toujours l'air sceptique, mais il sembla tout de même se détendre. Elle lui sourit. Pieds nus, elle faisait une tête de moins que lui.

— Je crois que oui, professeur.

Il lui rendit son sourire.

— Et si vous m'appeliez Ross ? Que ça devienne une habitude, ou quelque chose comme ça ?

Elle fit semblant d'y réfléchir.

— Nous devrons faire des compromis, finit-elle par répondre. Je veux bien vous appeler Ross, mais seulement pour ce soir. Et moi c'est… MJ. Enfin, c'est comme ça que m'appelle ma sœur. Quand Pam était petite, Martha Jane était trop difficile à prononcer pour elle.

— MJ, ça me plaît, songea-t-il avec un sourire craquant.

— Mais quand minuit sonnera je redeviens la gouvernante et vous le docteur Mannon.

Il eut l'air perplexe.

— Vous êtes dure en affaires, Cendrillon. Il ne reste que quelques minutes à peine avant minuit.

Prise dans l'instant présent, elle sourit à son tour.

— Alors nous ferions mieux d'en profiter.

Bon sang, avait-elle vraiment dit ça ?

Résistant à l'envie d'engloutir le reste de son champagne pour le faux courage qu'il pourrait lui procurer, elle lui rendit son verre. Il le posa et passa sa main dans la manche de la veste.

Il trouva sa main à l'intérieur et la serra doucement.

— Sérieusement, je veux vous remercier pour ce soir et… de m'aider à me rappeler ce que ça fait d'avoir des sentiments.

Son honnêteté brute eut raison de la réserve de Macie.

— C'est certainement la plus belle chose qu'on m'ait jamais dite.

Les yeux rivés sur elle, il leva la main qu'il tenait toujours dans la sienne et la retourna.

— On ne devrait dire que de belles choses à une femme comme vous, surtout quand elles sont vraies.

La pression de ses lèvres contre sa paume fut scandaleusement érotique et honteusement douce, et quand Macie sentit le balcon vaciller sous ses pieds elle comprit que le champagne n'était pas responsable de son ivresse.

— Docteur Mannon ?

— Il n'est pas encore minuit. Vous avez promis de m'appeler Ross.

Il lâcha sa main et glissa ses doigts scarifiés sous son menton pour qu'elle lève le visage vers lui. Puis il se pencha, réduisant lentement la distance qui les séparait. Son souffle était une brise épicée sur sa joue, et son regard parcourant son visage était pareil à une caresse. Lorsque leurs bouches se rencontrèrent tendrement, elle fut parcourue par un frisson de chaleur. Elle frémit, et la veste tomba au sol. Les mains de Ross trouvèrent ses épaules nues, la chaleur de ses paumes brûlant sa peau. Elle passa un bras autour de son cou tandis que l'autre prenait possession de son épaule musclée, ses doigts s'agrippant au tissu fin de sa chemise.

Il glissa ses mains plus bas, sur le décolleté arrière de la robe, suivant la découpe triangulaire jusqu'à la fermeture Éclair. Il lui suffirait de descendre la tirette pour la libérer.

— MJ, souffla-t-il contre sa bouche entrouverte.

Sa façon de prononcer ce diminutif de son prénom était comme une prière sacrée, une promesse qui les emporterait plus loin que minuit.

Au loin, une cloche sonna. Un, deux, trois…

C'était l'heure de la citrouille, ou du moins un rappel à la raison. Macie mit fin au baiser et s'écarta en posant la main sur la poitrine de Ross, où elle sentit son cœur battant.

— Je suis désolée, je ne peux pas.

Il la libéra et recula à son tour. Il secoua la tête comme pour reprendre ses esprits, inspira profondément, puis déglutit, si péniblement qu'on aurait dit que sa pomme d'Adam allait sauter de sa gorge.

— Non, c'est moi qui suis désolé. J'ai eu tort de profiter de vous. Il est tard, et nous nous levons tous les deux tôt demain matin. Je devrais vous ramener.

Chapitre 7

Il la possédait, elle était sienne, son corps et sa volonté étaient pris au piège de son étreinte incassable, les longues manches de sa soutane noires enroulées autour d'elle comme des ailes de chauves-souris, le crucifix en métal froid pénétrant la chair de son sein. Sa bouche couvrait la sienne, l'empêchant de respirer ou de crier, de se débattre ou de se libérer. Elle se figea comme une statue, acceptant enfin la terrible vérité. Elle figurait peut-être sur le tableau d'honneur, elle était peut-être la fille la plus populaire de sa classe et la double finaliste du concours d'orthographe local, mais elle n'allait pas gagner cette fois-ci. Maintenant que cela comptait vraiment, que les enjeux étaient aussi hauts que les gratte-ciel de New York qu'elle espérait voir un jour, elle n'allait pas gagner.

En réalité, elle avait déjà perdu. Elle avait perdu au moment où elle avait cédé et l'avait suivi dans le chœur après la messe.

Désormais, la vie telle qu'elle l'avait connue, simple et agréable, tranquille et sûre, était révolue. Le Dieu qu'elle avait appris à aimer et à respecter l'avait abandonnée dans le noir, l'avait laissée à la merci du monstre qui se tenait tous les dimanches derrière une chaire pour Le louer. Dorénavant, elle n'avait plus de lumière vers laquelle se tourner, plus d'avenir à préparer. Elle vivait désormais dans un enfer sans fin et sans fond. Elle suffoquait, se noyait, et rien ni personne ne viendrait à son secours. Pas de Dieu Sauveur, pas de Prince Charmant, pas de Marraine Fée ; personne ne la trouverait à temps. Même son corps la trahissait. Comme si elle était une mouche prise dans la toile d'une araignée, ses bras et ses jambes ne répondaient plus. Se débattre ne faisait qu'empirer les choses, ne faisait que le rendre pire, lui. Il ne lui restait plus qu'une chose à faire.

Elle s'immobilisa et força son esprit à ne plus penser.

Macie se redressa brusquement dans son lit. L'espace de quelques secondes, en sueur, le cœur battant, elle se demanda où elle était. Heureusement, il ne faisait pas complètement noir dans la pièce. Jamais. Elle dormait toujours avec la lumière de la salle de bains allumée. Si elle aimait sa garde-robe exclusivement noire, l'obscurité complète de la nuit était trop terrifiante pour qu'elle l'adopte.

Elle regarda ses jambes emmêlées dans les draps, et la mémoire lui revint. Washington, l'appartement de Ross Mannon, l'Opération Cendrillon. Loin d'être rassurante, la réalité semblait être une autre couche du rêve qu'elle craignait tant. *Qu'est-ce que je fais ?*

Elle regarda le réveil. Les chiffres rétroéclairés affichaient 3 h 35. Elle avait le visage en sueur, la bouche sèche. Elle apprécierait un verre d'eau, mais, plus que tout, elle avait besoin de changer de décor. Inspirant profondément, elle se leva, enfila un vieux sweat-shirt de l'Université catholique et un jean usé mais confortable, et se glissa dans le couloir. Elle passa devant la porte fermée de Sam et entra dans le salon..., d'où émanait une forte odeur de café.

Ross était devant le plan de travail de la cuisine dans un peignoir bleu, les cheveux en bataille. Occupé qu'il était à casser des œufs dans un bol, il ne sembla pas la remarquer. Comptant sur l'épaisse moquette pour étouffer sa retraite, elle fit demi-tour. Et se cogna dans la petite table.

— Mer... ! Aïe !

Ross leva brusquement la tête.

— Ça va ? demanda-t-il en la voyant dans le salon.

Elle souffla et se pencha pour se masser le tibia.

— Super, merci.

Voyant qu'elle allait bien, il ramassa son fouet.

— Vous voulez petit-déjeuner ?

— Il est un peu tôt, non ? répondit-elle en se redressant.

En tant que « Martha Jane », elle aurait pris soin d'être plus polie. Malheureusement, Macie Graham était de très mauvaise humeur, et en manque de café.

Il haussa les épaules.

— Les gens qui travaillent dans des fermes ou sur les plates-formes pétrolières sont en train de prendre leur petit déjeuner en ce moment, alors pourquoi pas nous ?

Il lui fit signe d'approcher. Elle hésita, soupesant ses options : chambre hantée par son rêve contre cuisine avec ambiance horriblement gênante. Elle choisit la cuisine. Elle se dirigea vers le bar, tira un tabouret et s'assit.

Ross lui tendit une tasse fumante.

— Merci, dit-elle en la prenant.

Ce n'était pas du café mais du lait chaud, remède classique contre l'insomnie. Il avait même saupoudré la surface de noix de muscade, comme sa mère le faisait. Elle prit la tasse entre ses deux mains et but une gorgée. C'était bon.

Il se remit à battre les œufs.

— Je suis content que vous soyez là. Il faut qu'on parle.

— S'il vous plaît, ne peut-on pas simplement… oublier ?

Une autopsie de son humiliation lui semblait insupportable, surtout maintenant.

Mais Ross était inflexible.

— Je dois m'excuser. Je ne trouve pas de mots assez forts pour vous dire combien je regrette mon attitude. C'était déplorable, totalement déplacé. Franchement, je ne sais pas ce qui m'a pris. Je n'ai pas l'habitude d'embrasser…

— La gouvernante ? intervint-elle.

Elle ne savait pas ce qui était pire : avoir accepté les avances d'un Républicain ou s'entendre dire qu'elle ne l'intéressait pas.

— Les jeunes femmes qui travaillent pour moi, corrigea-t-il. Vous avez ma parole que cela n'arrivera plus.

Elle voulut sourire, mais elle eut l'impression que son sourire était faible et cassant, comme s'il pouvait s'écailler à tout moment.

Malgré la gêne et la tension qui avaient suivi, en ce qui la concernait, ce baiser avait été absolument fantastique. Sans conteste le meilleur baiser de sa vie. Qu'il dise qu'il le regrettait gâchait même ce plaisir.

— Merci, mais si ça peut aider, ce n'était qu'un baiser. Ce n'est pas comme si vous m'aviez violée, déclara-t-elle. (Elle eut la satisfaction de le voir pâlir.) Et je suis autant coupable que vous. Je vous ai rendu votre baiser. Mais vous avez raison : c'était une erreur. Pour le bien de Sam, je pense qu'il serait mieux de mettre cela de côté et d'avancer. Vous ne croyez pas ?

Elle se laissa glisser du tabouret pour se remettre debout. Réconfortée par le lait chaud, sa chambre ne lui semblerait peut-être plus aussi menaçante. Mais Ross avait manifestement d'autres projets.

— Rasseyez-vous tout de suite.

Macie s'enorgueillissait de résister aux ordres, et elle se surprit elle-même en obéissant. Ross lâcha le fouet et posa ses deux mains sur le comptoir en la regardant droit dans les yeux.

— Nous nous tournons autour comme deux chats depuis que vous êtes arrivée dans cet appartement, et je dois au moins mettre les choses au clair si je veux retrouver le sommeil.

Elle lui faisait perdre le sommeil ? Après le coup que son ego avait pris pendant ses « excuses », savoir que penser à elle le maintenait éveillé était plutôt agréable.

Elle noua ses mains autour de sa tasse pour qu'il ne voie pas qu'elles tremblaient.

— Je vous écoute.

— Voyez-vous, vous me plaisez, MJ. Vous me plaisez beaucoup. De plus, je pense que je vous plais aussi. Et, si vous êtes d'accord, j'aimerais voir où cette attirance mutuelle pourrait nous mener. Mais je ne veux pas vous effrayer ou vous faire fuir, parce que Sam a besoin de vous. Donc, si vous ne ressentez pas la même chose à mon égard, dites-le, et je cesserai mes avances.

Macie leva les yeux vers lui. La vulnérabilité qu'elle lut dans son regard lui serra le cœur. Elle lui plaisait. Elle lui plaisait vraiment ! Mais avait-il des sentiments pour elle ou pour Martha Jane ? Il n'y avait qu'une seule façon de le découvrir. Elle regarda Ross, si sérieux, honorable et sexy malgré son air fatigué ; elle envisagea sérieusement de reléguer ses ambitions journalistiques au second plan. Avec un homme comme Ross Mannon, les choses seraient peut-être différentes, cela pourrait bien se passer. Il était peut-être temps de s'éloigner du filet de protection de son cynisme et de tenter d'être heureuse.

Elle posa la tasse.

— Je ne veux pas que vous cessiez.

Il déglutit.

— Vraiment ?

— Oui, vraiment.

Avant qu'il puisse dire autre chose, elle se leva, tendit les bras au-dessus du bar et ouvrit le peignoir de Ross.

Ross baissa les yeux, choqué… et chaud comme la braise. Pour une jeune femme douce et traditionnelle, MJ savait y faire.

Il attrapa son poignet avant qu'elle puisse saisir son pénis en érection.

— Doucement. Il n'y a pas le feu.

Faisant appel à toute sa volonté, il parvint à écarter sa main.

Elle leva les yeux vers lui, l'air confuse.

— Je ne vous comprends pas. Une minute vous me voulez, la suivante vous me repoussez.

L'expression peinée de son visage délicieusement empourpré faillit avoir raison de lui. Déterminé à rester fort pour leur bien à tous les deux, il secoua la tête.

— Bien sûr que je vous veux. Je vous désire certainement plus que vous ne le pensez. Mais je ne veux pas précipiter les choses et gâcher nos chances de connaître autre chose qu'une passade.

Francesca et lui s'étaient rués au lit, ou plutôt à l'arrière de sa Ford empruntée, sans prendre le temps de se connaître. Leurs hormones sautillantes leur avaient soufflé que coucher était une bonne idée, mais il s'était toujours demandé si les choses auraient été différentes s'ils avaient attendu. Il n'avait jamais eu de réponse, mais il savait néanmoins qu'il commençait à trop tenir à MJ pour faire quoi que ce soit sans réfléchir aux conséquences.

Elle se rassit sur le tabouret.

— Et maintenant ?

Il s'était presque attendu à ce qu'elle retourne dans sa chambre. Soulagé qu'elle n'en fasse rien, il répondit :

— Maintenant, le petit déjeuner. Vous avez déjà mangé des *huevos rancheros* ?

— Une fois, je crois. En y réfléchissant bien, peut-être pas. Vous pensez sincèrement que je vais rester assise ici pour avaler un gros petit déjeuner après la façon dont je viens de me ridiculiser ? ajouta-t-elle après un moment d'hésitation.

Il lui sourit et prit un autre œuf.

— Ma chère, certains diraient que je me ridiculise chaque fois que je suis à l'antenne.

Macie ne sut que répliquer, et elle demeura donc muette en le regardant casser trois œufs à la suite.

— Vous n'avez jamais entendu parler du cholestérol ? demanda-t-elle en le voyant ajouter une bonne dose de crème au mélange.

— Je me concentre sur le calcium.

Il prit le fouet et se remit à battre jusqu'à ce que la mixture devienne mousseuse.

— Et puis les repas que vous avez servis n'étaient pas vraiment allégés.

Il l'avait coincée.

— Je pensais que c'était le genre de plats que vous aimiez, puisque vous venez du Texas.

— C'est le cas, mais j'approche plus des trente-cinq ans que des trente ans et, depuis que j'ai déménagé ici, je ne fais plus autant d'exercice qu'avant.

Macie regarda son ventre, approchant de la parfaite tablette de chocolat, et, le corps soudain humide et frissonnant, eut l'impression d'être dans un bain de vapeur.

Il rinça le fouet et le posa sur l'égouttoir de l'évier.

— Nous n'avons pas d'avocats, alors je ne peux pas les faire avec du guacamole, mais j'ai trouvé une boîte de poivrons dans le placard, et il y a de la crème et du fromage. La râpe est là, dit-il en montrant une planche à découper sur laquelle était déjà posé un morceau de monterey jack.

Étonnamment, elle avait faim. Elle coupa un morceau de fromage et le fourra dans sa bouche, avant de râper le reste dans un petit bol. Ross prit des couverts et des assiettes, et les posa sur la table avec une bouteille de Tabasco. En plus du lait chaud, il avait fait du café. Ce devait être un truc texan, d'en engloutir des litres à n'importe quelle heure de la journée. Il lui en proposa, et, puisque c'était déjà le matin, elle tendit sa tasse, qu'il remplit. Puis il servit les *huevos rancheros*… pleins de crème et de vrai beurre. Elle planta sa fourchette dans son assiette, la fourra dans sa bouche et ferma les yeux, prenant le temps de savourer.

— C'est… si bon que ça doit être mauvais.

Prise au dépourvu, elle avait failli dire « putain de bon » avant de se ressaisir à temps.

Ross éclata de rire.

— Vous aimez tout mais avec modération, n'est-ce pas ?

La modération n'était pas un sujet sur lequel Macie excellait, mais elle hocha néanmoins la tête et prit une autre bouchée.

— Et puis, ajouta-t-il en la regardant manger, ce n'est pas comme si vous aviez besoin de compter les calories.

Son regard pareil à une caresse était tout aussi puissant qu'un contact physique. Fortifiée par la nourriture et la caféine, le sexe lui revint vivement à l'esprit. Sentant les frissons évocateurs revenir avec un chatouillement délicieux, elle posa sa fourchette.

— Je préfère les brûler que les compter. Êtes-vous certain de ne pas vouloir changer d'avis sur les passades ?

Le regard qu'il lui adressa lui intima d'abandonner.

— Si vous essayez de me choquer, vous perdez votre temps. J'étais déjà père quand vous portiez encore des brassières de fillette.

— Je n'ai jamais porté de brassière.

Elle le regarda. Il la regarda. Et la chose la plus étrange se produisit. Macie sentit les coins de sa bouche tressaillir, le fond de sa gorge la chatouiller. Quelque chose en elle se crispa. Elle renversa sa tête en arrière et se mit à rire. Ses yeux se remplirent de larmes, sa gorge la brûlait, et elle rit de plus belle. Mieux encore, Ross se joignit à elle.

— D'accord…, d'accord, articula-t-elle quand elle réussit à retrouver son souffle, avant de s'essuyer les yeux en tentant de retrouver son calme. Peut-être que j'en ai mis, mais seulement pendant un an au collège.

Il lui décocha un clin d'œil et se leva pour remplir sa tasse.

— Votre secret est bien gardé avec moi.

Qu'il parle de secret lui fit penser à celui qu'elle lui cachait. L'Opération Cendrillon était en danger, mais elle refusait d'y penser pour l'instant.

Il venait de la rejeter pour la deuxième fois en une heure. Elle avait tous les droits d'être furieuse, blessée. Pourtant, malgré sa vague déception, elle se sentait surtout détendue. Et fatiguée, soudain.

Elle couvrit un bâillement de sa main.

— Cela vous dérange si je fais la vaisselle demain matin, le vrai matin, et que je retourne me coucher ?

— Allez-y. C'est mon bazar. Je nettoierai.

Elle repoussa sa chaise de la table et se leva.

— Bonne nuit, alors.

Elle était presque arrivée dans le salon quand il la rappela.

— MJ ?

Même si elle était à moitié endormie, son cœur bondit en l'entendant l'appeler par son surnom. Elle se retourna.

— Oui ?

— À propos de mes excuses, tout à l'heure, dit-il en avançant vers elle. Je ne veux pas qu'il y ait de confusion.

Son cœur sembla s'arrêter de battre.

— Que voulez-vous dire ?

Il s'arrêta devant elle.

— Je ne veux pas que vous pensiez que je n'ai pas aimé vous embrasser. Le fait est que j'ai adoré ça.

Il avança encore d'un pas et posa doucement sa main sur son épaule.

— Et ce n'est pas parce que vous retournez dans votre lit et moi dans le mien que je ne veux pas réessayer… maintenant.

Elle pencha la tête en arrière. Ross caressa sa lèvre inférieure du pouce. Des frissons parcoururent sa colonne vertébrale. Son cœur battait à tout rompre, et elle retint son souffle. Elle était affamée, mais ce n'était pas de la nourriture qu'elle voulait : c'était Ross.

Leurs bouches se rencontrèrent, comme attirées par des aimants. Le baiser de Ross avait le piquant du Tabasco et était passionné, plein de promesses. Il glissa sa langue dans sa bouche pour taquiner doucement la sienne. Mais soudain, cela ne suffisait plus. Elle en voulait plus.

Elle voulait tout.

Comme s'il lisait dans ses pensées, il glissa sa main sur sa nuque, la maintenant tendrement mais fermement tandis qu'il la ravissait. Ses tétons durcirent, et elle prit conscience qu'elle n'avait pas pris la peine de mettre un soutien-gorge. De nouveau, comme s'il lisait dans ses pensées, il glissa son autre main sous l'ourlet de son sweat-shirt, parcourant la peau de son ventre et effleurant ses côtes avant de remonter lentement. Il toucha son sein du bout des doigts, et un frisson de plaisir la parcourut tout entière. Il brisa leur baiser pour mordiller son cou.

— Non, vous n'avez assurément pas besoin de brassière aujourd'hui.

Il frôla son téton, la rugosité de ses doigts la faisant gémir. Elle renversa sa tête en arrière et saisit son poignet.

— C'est… trop… bon pour ne serait-ce que penser à s'arrêter, souffla-t-elle.

Le léger rire de Ross trahit sa fierté masculine, et l'érection qu'elle sentait contre son bas-ventre confirmait qu'il était aussi excité qu'elle.

— Dans ce cas, nous ferions mieux de nous souhaiter bonne nuit.

— Bonne nuit ?

Macie s'agrippa à lui, espérant le faire rester. Ross Mannon aimait-il seulement taquiner ou essayait-il de la tuer ?

Il remit le sweat-shirt de Macie en place et recula avec une expression de regret.

— Fais de beaux rêves, poupée.

« Fais de beaux rêves. » Soudain, cela semblait être une réelle possibilité.

— C'est trop injuste, protesta-t-elle.

Mais le sourire dans sa voix ne leur échappa ni à l'un ni à l'autre.

D'humeur joyeuse, elle fit demi-tour pour partir, intimement consciente de son regard sur elle. En entrant dans sa chambre, elle savait qu'elle souriait. Lait chaud, œufs épicés et une séance de roulage de pelle de premier choix : si ce n'était pas le gros lot, Macie ne savait pas ce qu'il fallait de plus.

— Tu es exceptionnellement gaie aujourd'hui, fit remarquer Stef lorsqu'elle vint déposer à manger, plus tard ce jour-là.

Macie interrompit son fredonnement.

— Vraiment ?

— Oui.

— Ça a l'air délicieux tout ça, dit-elle, changeant délibérément de sujet, même si ce n'était que la vérité, car le menu du jour, côtes de bœuf braisées, asperges blanches sautées et riz pilaf, était très alléchant et sentait merveilleusement bon.

— Environ dix minutes avant de servir, réchauffe la viande au four, pas au micro-ondes. Comme ça elle sera moins sèche, conseilla Stefanie.

— Très bien, dit Macie en hochant la tête. Merci.

Son sac isotherme vide, Stef se retourna pour partir.

— Bon appétit !

Prenant son courage à deux mains, Macie l'interpella.

— Tu es pressée ?

Stefanie s'arrêta et pivota sur elle-même.

— Je dois livrer des plateaux pour une soirée un peu plus tard, mais j'ai du temps. Qu'est-ce qui se passe ?

— Je me demandais si tu pouvais m'apprendre à faire des *huevos rancheros*.

Stef écarquilla les yeux.

— Tu veux que je te montre comment cuisiner quelque chose ?

Elle tendit la main et toucha le front de Macie comme pour vérifier qu'elle n'avait pas de fièvre. Macie la repoussa.

— Et alors ? Ces derniers temps, j'ai commencé à avoir une… folle envie.

C'était la vérité. Stef ôta son coupe-vent, le posa sur un tabouret et énuméra les ingrédients.

— Œufs, sauce, crème, fromage râpé, huile d'olive et échalotes finement émincées. Oh, et il faut des tortillas de maïs, bien sûr !

Macie hocha la tête.

— Ross range les tortillas dans le frigo comme d'autres y mettent le pain de mie. Ça doit être un truc texan, ajouta-t-elle avec un sourire.

— Super, il nous faudra une tortilla par personne. Oh, et j'aime bien mettre du guacamole, c'est de l'avocat écrasé, précisa Stef en lui décochant un clin d'œil.

— Oui, je sais, très marrant.

Après avoir déposé Sam à l'école, Macie s'était arrêtée à l'épicerie pour acheter les ingrédients dont elle se souvenait. Elle ouvrit le frigo et commença à les sortir.

Elle les aligna sur le plan de travail et se retourna ; son amie avait pris la grande poêle accrochée au mur. Elle y versa de l'huile d'olive et alluma le brûleur à feu doux.

— C'est du gâteau tant que tu suis la recette, lui assura Stef en remuant la poêle pour que l'huile se répartisse au fond.

Macie vint se poster à côté d'elle.

— C'est à moi que tu parles, tu te rappelles ? Membre actif de la communauté des handicapés de la cuisine.

— Tu vas y arriver. La plupart du boulot est dans la préparation. D'habitude, je fais ma sauce moi-même, mais en le modifiant un peu, le mélange tout prêt pourra aller aussi.

Macie repensa à ce matin-là. Alors que certains… détails étaient gravés dans son cerveau, ses souvenirs étaient confus en ce qui concernait la partie cuisine.

— Je suis presque sûre que Ross a utilisé une sauce en pot.

Stef releva la tête.

— Mannon t'a fait le petit déj' ?

Macie sentit son visage s'empourprer en repensant au baiser piquant de Ross et à ses mains expertes. Espérant que Stef attribuerait son fard à la vapeur qui s'élevait de la poêle, elle répondit :

— C'était un cas d'insomnie mutuelle doublée d'un petit creux.

— Intéressant, dit Stef en tendant la spatule à Macie, qui fixa l'objet sans bouger. Tu m'as demandé de t'apprendre, tu te rappelles ? Qu'est-ce que t'attends, apprentie ? On y va.

Malgré sa nervosité, Macie fit de son mieux pour suivre les instructions de Stef à la lettre, faisant des pauses de temps en temps pour demander quelques explications, comme la différence entre le chipotle et le piment en poudre, ou combien de temps il fallait cuire les tortillas de chaque côté.

Faire cuire les œufs fut la partie la plus facile. Apparemment, il y avait deux versions du mets, une avec des œufs brouillés, celle qu'avait faite Mannon, et l'autre avec des œufs au plat. Dans un élan de courage, Macie décida de les faire au plat. Dans la poêle qu'elle avait utilisée pour faire chauffer les tortillas, elle ajouta une noix de beurre, sur les instructions de Stef. Elle attendit un instant qu'il fonde, puis elle y cassa deux œufs.

— Fais-les cuire trois ou quatre minutes si tu veux que les jaunes soient coulants, ou plus longtemps si tu les aimes plus fermes, lui conseilla Stef.

— Plus fermes, décida Macie en retirant un morceau de coquille.

Au bout d'environ vingt minutes, Macie avait dans les mains une assiette presque parfaite de *huevos rancheros*.

Tout sourires, Stef lui tendit une fourchette.

— Tu as réussi, Mace !

— Oui, je l'ai fait !

Ridiculement excitée, Macie prit la fourchette et la planta dans son plat. Elle porta un morceau à sa bouche, mâcha, savoura et avala. Elle reposa le couvert et sentit un grand sourire se dessiner sur ses lèvres.

— J'ai fait ce plat, et ce n'est pas dégueulasse. C'est même très bon !

— Bien sûr que c'est bon ! dit Stef en lui tapant sur l'épaule. L'art de la cuisine peut être une chose très puissante. Ce n'est pas pour rien que les fêtes que nous célébrons impliquent toujours le partage de repas préparés avec amour. Cette soudaine… envie de tex-mex n'a rien à voir avec un certain Texan très séduisant, si ? demanda-t-elle après un instant d'hésitation.

— Il ne ressemble en rien à ce que j'avais imaginé, avoua Macie puisque son amie l'avait démasquée. Il est chaleureux, drôle, gentil et attentionné. Il m'aide même dans les tâches ménagères.

Elle avait été tout aussi stupéfaite de découvrir qu'elle appréciait sincèrement certains aspects de la vie familiale, comme la soirée ciné, où Ross et Sam se passaient un bol de pop-corn en se chamaillant sur la quantité de sel à ajouter. La fille de Ross avait peut-être des problèmes, mais c'était une gamine très chouette, depuis qu'elle commençait à baisser la garde de temps en temps. L'aider à faire ses devoirs et la conduire à travers la ville pouvaient même être amusants parfois.

— On dirait que c'est l'homme parfait. Et il est célibataire, non ?

Macie hocha la tête.

— Divorcé, depuis des années. Il a dû se marier très jeune.

Elle omit de préciser que l'ex-femme de Ross était une célèbre photographe de mode qu'elle avait déjà rencontrée pour le magazine. Stef ne suivait pas le monde de la mode, et le nom de Francesca St. James ne lui dirait certainement rien.

— Alors quel est le problème ?

— Eh bien, pour commencer, c'est un Républicain !

Son amie haussa les épaules.

— Tu dis ça comme si c'était un tueur en série.

— Il y a une différence ?

— Allons, Macie, relativise. Notre système n'a que deux partis.

Elle fourra un morceau d'avocat dans sa bouche.

— Pas si Ross et ses partisans imposent leurs idées.

Stef haussa un sourcil.

— Il a des partisans ?

— Plutôt des amis, mais « partisans » sonne mieux.

Faisant manifestement de son mieux pour garder une expression neutre, Stef hocha la tête.

— C'est vrai que comme ça, il a plutôt l'air d'un Messie.

Macie fit le tour du bar et se laissa tomber sur un tabouret.

— Sérieux, Stef, qu'est-ce que je vais faire ? Il pense que je suis quelqu'un que je ne suis pas, une fille douce et traditionnelle qui adhère à tout ce qu'il fait. Toi et moi savons parfaitement que cette fille n'existe pas.

— Tu en es sûre ? demanda Stef en s'asseyant à côté d'elle. Si tu parles de celle qui vient d'apprendre à faire des *huevos rancheros* alors qu'elle déteste cuisiner et qui me casse les oreilles à propos d'une ado qui n'est pas la sienne mais pour laquelle elle s'inquiète tout le temps, alors je dirai que si, elle existe bel et bien.

Macie la transperça du regard.

— Tu sais pourquoi je suis venue ici.

— Mission de diffamation, Opération Cendrillon, oui, oui, je te reçois. Alors arrête ta mission spéciale et passe à autre chose. Mannon a l'air d'être un mec bien. Il n'y en a pas beaucoup en ce bas monde.

Elle soupira.

— Je perdrai mon travail au magazine.

— Il y a d'autres boulots dans d'autres magazines, répliqua Stef.

Macie secoua la tête.

— C'est Starr qui m'a donné mon premier article. Je ferais toujours la météo sans elle. Je lui suis redevable.

Stef lui fit les gros yeux.

— Tu travailles comme une dingue pour elle et pour ce magazine depuis cinq ans. Personne ne t'a rien donné. Tu as tout mérité, payé tes dettes et plus encore. La seule personne envers laquelle tu es redevable, c'est toi. Tu n'es pas obligée de faire ça. Tu as le choix, Mace. Profites-en.

Macie en avait perdu l'appétit. Elle repoussa son assiette.

— C'est sans intérêt, de toute façon. Ross est vraiment irréprochable.

La certitude de son échec imminent, dû à son incapacité à déterrer une quelconque information diffamatoire sur Ross, lui conférait à la fois un sentiment d'angoisse et un certain soulagement.

—Alors dis la vérité à ta patronne, dis-lui que tu n'as rien trouvé. Laisse faire les choses et avance. Avec ou sans *On Top*.

Stefanie avait raison. Macie n'avait peut-être rien trouvé, mais elle avait le choix.

Une semaine plus tard, debout sur le seuil de la chambre de Sam, Macie hésita, puis toqua doucement contre la porte ouverte.

—Comment ça va ? Prête pour une pause-déjeuner ?

—Presque.

Les yeux rivés sur son écran d'ordinateur, Sam lui fit signe d'entrer.

—Viens voir. C'est mon projet de sciences sociales.

—Ça n'avance pas trop, hein ? demanda Macie en entrant.

En revanche, les choses avançaient merveilleusement bien avec Sam. Depuis quelque temps, elle laissait régulièrement la porte de sa chambre ouverte pendant la journée, symbole puissant qu'elle prenait confiance.

—J'aurais bien besoin d'aide, avoua Sam en se tournant vers elle.

Soulagée que ce ne soit pas encore de l'algèbre, Macie contourna le carton mousse, les photos, ciseaux et punaises étalés sur le sol pour rejoindre le bureau de Sam.

—C'est quoi, le sujet ?

—La famille américaine. On est censés faire une affiche de notre arbre généalogique. Mme Grant nous a dit d'essayer de remonter au moins trois générations en arrière de chaque côté.

— Tu as cherché sur les sites de généalogie ? Tu peux chercher les registres d'Ellis Island aussi.

— Merci, mais j'ai déjà presque tout ce qu'il me faut sur les anciennes générations. C'est pour papa et maman que je ne comprends pas.

Macie hésita.

— Que veux-tu dire ?

Sam pointa le doigt sur l'écran.

— Je suis née le 12 avril 1997. Ici, c'est écrit que papa et maman ne se sont mariés qu'en septembre 1999.

Macie se pencha pour regarder. Sam avait atterri sur un de ces sites détectives amateurs s'adressant aux paranos et aux fouineurs. Pour 19,99 dollars de plus, on pouvait faire des recherches et avoir accès aux registres de n'importe qui.

Elle se redressa et recula.

— Ces sites ne sont pas toujours fiables. Parfois, les gens ont des noms qui se ressemblent.

— Non, MJ, ce n'est pas une erreur, dit Sam en cliquant sur une autre fenêtre. Tu vois ? C'est le PDF de leur acte de mariage, archivé à la mairie. C'est la signature de ma mère. Crois-moi, elle m'a écrit pas mal de mots pour l'école, je la reconnais.

— Tu as besoin des dates exactes pour ton projet ?

— Eh bien, non, mais…

— Tu veux mon avis ?

Sam haussa les épaules.

— Oui.

— Ce n'est pas un projet d'histoire mais de sciences sociales, alors ne te soucie pas des dates exactes pour l'instant. Finis ton affiche, rends-la à ta prof et parles-en avec ton père. En privé. Pour l'instant, allons manger. D'accord ?

Sam leva les yeux et lui adressa un sourire en coin si similaire à celui de son père que Macie sentit son cœur tambouriner contre sa poitrine.

— Laisse-moi deviner, des *huevos rancheros* ?

Maintenant que Macie avait appris à faire ce plat, elle semblait incapable de s'arrêter. Elle avait même commencé à faire elle-même quelques courses.

— Des croque-monsieur au gorgonzola.

— Ça a l'air bon, dit Sam avec un sourire en se levant de sa chaise.

Macie passa son bras autour des épaules de l'adolescente, ravie que Sam se colle contre elle plutôt que de se dérober.

— M'en parle pas. Je suis une vraie Rachael Ray.

Ce soir-là, Macie était impatiente que le dîner soit fini pour voir Ross seul à seul, et pas seulement pour se livrer aux baisers qu'ils partageaient en privé, le soir, dans son bureau. Après manger, elle ferma le lave-vaisselle et alla le retrouver.

— Tu as un moment ?

Il s'interrompit dans son travail et leva les yeux, l'air enchanté de la voir ; le cœur de Macie se serra.

— Tout le temps que tu voudras.

Il se leva, fit le tour du bureau et tendit les bras vers elle. Elle recula d'un pas.

— C'est à propos de Sam.

Elle ferma la porte. L'air inquiet de Ross éclipsa son sourire.

— Elle avait l'air d'aller bien ce soir.

— Elle va bien. Elle va même très bien. Elle est aussi très intelligente.

Trop intelligente pour le bien de certains, surtout le tien.

— On dirait que l'un de nous devrait s'asseoir.

Ils se laissèrent tomber dans des fauteuils, côte à côte. Macie lui parla du projet de sciences sociales de Sam et de sa découverte sur Internet. Jusqu'à présent, elle s'était attendue à ce qu'il nie, qu'il apporte toutes sortes de preuves soulignant cette erreur flagrante. Au lieu de cela, il demeura parfaitement immobile.

Elle tendit la main et toucha son bras.

— Ross ?

Les yeux dans le vide, il semblait à peine être conscient de sa présence.

— Frannie et moi nous sommes rencontrés pendant le deuxième semestre de ma terminale. Elle était là dans le cadre d'un programme d'échange avec l'étranger. Même à dix-huit ans et avec la peau sur les os, elle avait quelque chose : elle était audacieuse, sophistiquée, expérimentée malgré son âge. On aurait cru qu'elle avait été avec des centaines d'hommes, et que des James Bond.

Même si elle comprenait sa relation avec son ex-femme, Macie ne s'était pas complètement remise de sa jalousie irrationnelle envers Francesca.

La photographe de mode avait toujours semblé être un personnage hors du commun, mais, ces derniers temps, elle était aussi devenue une rivale pour elle. Il était difficile de battre un premier amour. Écouter Ross s'extasier sur elle était pour le moins éprouvant.

— Nous avons passé tout l'été ensemble, le temps a filé comme l'éclair, poursuivit-il. Puis soudain est arrivée la veille de son retour en Angleterre. Ce soir-là, j'ai pris une bouteille de Boone's Farm et le pick-up de mon frère pour aller au ruisseau. L'idée d'aller à l'université en étant encore vierge me faisait crever de honte. Je pensais que c'était une pro dans le domaine, mais elle a fini par me confier qu'elle non plus n'avait jamais enfilé un préservatif. L'acte a été aussi reposant qu'une opération du cerveau, même si ce fut bien plus court, cinq minutes au maximum. Nous ne nous sommes rendu compte trop tard que le préservatif avait craqué. Pourtant, nous nous sommes convaincus que ce n'était pas grave. Enfin, qui tombe enceinte la première fois ? Le lendemain matin, je l'ai conduite à l'aéroport et l'ai mise dans un avion pour Londres.

Il passa une main dans ses cheveux, créant des épis qui le firent ressembler à celui qu'il devait être à dix-huit ans : un jeune homme à l'air grave, perdu, vulnérable.

— Je ne savais rien de l'existence de Sam jusqu'à ce que je reçoive une lettre de Frannie disant qu'elle avait arrêté Oxford et que, au fait, on avait un gosse.

Soudain, elle comprit avec tristesse la réaction violente qu'il avait eue à la lecture de son article sur le sexe chez les ados. Elle le prit par la main.

—Cela a dû te faire un choc.

Il grogna.

—Moi qui n'avais voulu qu'une amourette sans attaches... Si elle n'avait pas mis cette photo avec sa lettre, je pense que je l'aurais déchirée et que je me serais convaincu qu'elle me jouait un sale tour. Mais quand j'ai pris la photo et que j'ai vu Sam, avec les cheveux noirs de Frannie, ma grande bouche et mes grandes oreilles, je...

Il se tut.

—Tu es tombé amoureux? finit Macie pour lui, sentant les larmes lui monter aux yeux.

—Oui, et c'est ainsi que j'ai trouvé le courage de tout avouer à mes parents. Ils étaient furieux que j'aie été aussi irresponsable, Mais, quand la tempête est passée, ils m'ont prêté de l'argent pour faire venir Francesca et le bébé ici. Nous nous sommes mariés seuls dans un comté où personne ne me connaissait. Puisque j'avais été loin de chez moi, à l'université, il a été facile de faire croire que nous nous étions mariés en cachette avant que Frannie rentre en Angleterre cet été-là. Les gens avaient des doutes, bien sûr, mais ma famille était à Paris depuis cinq générations, et de toute façon ce n'est pas comme si nous n'avions pas fini par prendre la bonne décision.

—La bonne décision..., c'est-à-dire vous marier?

Ils y revenaient, à ces valeurs traditionnelles profondément ancrées en lui.

—C'était bien mieux que l'alternative, à savoir que ma fille grandisse de l'autre côté de l'Atlantique et que je la voie une fois par an, avec un peu de chance. Ainsi, ma mère pouvait s'occuper de Sam pendant la journée pour que Frannie puisse reprendre ses études. Je ne dis pas que c'était facile, mais était-ce la bonne chose à faire ? Ça oui.

La journaliste qu'elle était ne put s'empêcher d'ajouter :

— Et vous avez fini par divorcer.

Elle lâcha sa main. Il soupira.

— Nous nous sommes mariés pour donner un foyer à Sam… Seulement, notre foyer ressemblait de plus en plus à un champ de bataille, et notre fille se retrouvait prise entre deux feux. Frannie ne se sentait pas à sa place, ni culturellement ni professionnellement. Elle voulait être photographe de mode, et il n'y a pas grand-chose en matière de haute couture à Paris, dans le Texas. Nous nous sommes séparés quand Sam avait quatre ans, en espérant qu'on n'avait pas encore eu le temps de trop la perturber. Je sais que ça peut paraître bizarre, mais, après le divorce, je me suis souvenu de tout ce que j'aimais chez Francesca. Elle est intelligente, gentille, drôle, avec cet humour anglais pince-sans-rire. On ne pourrait trouver personne plus calme en temps de crise ou meilleure amie dans les moments difficiles.

— Elle a l'air d'être géniale. Es-tu certain de ne pas être encore amoureux d'elle ?

Macie espérait ne pas paraître aussi jalouse qu'elle l'était intérieurement.

Il secoua vigoureusement la tête.

— Loin de là. Elle a des défauts, des tas de défauts. Pour commencer, elle ne peut pas rester quelque part plus d'un mois sans trépigner, une des raisons pour laquelle le métier de photographe lui correspond si bien. Elle voyage dans le monde entier.

— Super pour elle, mais pas bon pour Sam, j'imagine. D'où la décision que Sam reste avec toi ?

Il haussa les épaules.

— Frannie est la première à admettre qu'elle n'a pas vraiment la fibre maternelle, mais elle donnerait sa vie pour notre fille.

Qui était Ross Mannon exactement ? Malgré ses allures de pur Texan, il ne correspondait à aucun stéréotype. Au lieu de critiquer son ex-femme, comme le feraient beaucoup d'hommes, il insistait sur ses qualités. Macie n'avait pas voulu apprécier Ross Mannon, elle n'avait même pas envisagé cette possibilité. Malheureusement, il était trop tard. Elle l'appréciait. Elle l'appréciait beaucoup. En réalité, sa sympathie pour lui était en train de devenir… beaucoup plus.

— La plupart des hommes divorcés que j'ai rencontrés ne sont pas aussi généreux quand ils décrivent leur ex.

Zachary en faisait partie. Il avait été marié une fois, et Macie ne connaissait même pas le prénom de son ex-femme. Quand il parlait d'elle, il utilisait généralement des pronoms ou, bien sûr, la si jolie expression : « cette salope ».

Ross s'étira, ce qui ne fit que mettre en valeur la puissance magnifique de ses muscles.

— Frannie est une femme admirable. Elle n'est seulement pas mon âme sœur.

Macie se leva pour partir.

— Sam va venir exiger des réponses tôt ou tard, et je parie que ça ne va pas tarder. Je lui ai dit d'attendre d'avoir rendu son projet, mais ce n'est que dans une semaine environ.

Ross se leva à son tour.

— Oui, je sais. Ce que je ne sais pas, c'est comment je vais lui expliquer tout ça sans gâcher le peu de respect qu'elle a encore pour moi.

Son air perdu lui serra le cœur.

— Dis-lui ce que tu viens de me dire, simplement ; tiens-t'en aux faits. Enfin, saute peut-être la partie sur la bière, ajouta-t-elle avec un petit rire.

Il lui adressa un sourire las et secoua la tête.

— Et voilà, tu me redonnes encore le sourire alors que je pensais que c'était impossible.

Ils se souhaitèrent bonne nuit derrière la porte fermée du bureau, s'embrassant tendrement, se caressant du regard, ce qui, comme toujours, laissa Macie sur sa faim.

— Bonne nuit ! dit-elle en s'écartant de Ross à regret, comme tous les soirs.

Il déposa un baiser sur son nez et recula en soupirant.

— Dors bien, princesse. À demain matin.

« Princesse » ! Ah, s'il savait que sous ses airs de princesse elle n'était qu'une sorcière !

De retour dans sa chambre, Macie s'assit dans son lit, réfléchissant à son prochain coup. Un enfant né hors mariage n'était peut-être pas exactement l'info qu'elle avait imaginée au départ, mais, avec le bon angle, l'histoire pourrait soulever un scandale, notamment à cause de la position de Ross, strictement opposé au sexe chez les ados. Avec le certificat de naissance de Sam et l'acte de mariage de Ross et Francesca, accessibles puisque c'étaient des documents publics, il n'y aurait aucune base pour un procès pour diffamation contre le magazine ni contre elle. Elle y gagnait dans cette situation. Alors pourquoi ne se ruait-elle pas sur son ordinateur pour écrire l'article ?

Quelques heures plus tard, toujours éveillée, elle regarda enfin la vérité en face, aussi dérangeante soit-elle : Macie Graham avait perdu son tranchant. Elle avait transgressé la première règle du journalisme d'investigation et entretenait une liaison avec son sujet. Pire : elle en pinçait pour lui. Elle n'avait pas changé d'avis sur son émission radio, mais sa perspective sur l'homme qu'il était avait changé du tout au tout. Bon et honorable, honnête et vrai, Ross Mannon était un homme qu'elle était fière de compter parmi ses amis..., mais elle n'aurait certainement jamais la chance d'être plus intime avec lui.

Elle éteignit la lampe, et se rappela qu'elle devrait être aux anges, dansant sur un petit nuage rose rien qu'à elle.

Après des semaines de recherches infructueuses, elle avait enfin trouvé son sujet.

Chapitre 8

La semaine suivante sembla passer lentement, et pourtant l'horloge personnelle de Macie semblait être une bombe à retardement. Elle entrait dans la quatrième semaine de l'Opération Cendrillon, et la date de rendu de son article approchait à grande vitesse. À tout moment, le brouillard pouvait se lever dans l'esprit de Francesca : elle se rappellerait qui était Macie et où elles s'étaient rencontrées. Si elle avait un peu de jugeote ou de cran, Macie ferait ses bagages et partirait avant de s'enfoncer davantage. Mais, comme un fumeur essayant d'arrêter, elle ne cessait de repousser l'inévitable au lendemain.

Elle venait de poser un pied dans l'appartement après avoir déposé Sam à l'école quand son téléphone portable sonna. Cela faisait longtemps qu'elle n'avait pas entendu cette sonnerie : *Amazing Grace* était attribuée à sa mère. Il n'y avait qu'une raison pour que sa mère l'appelle à l'improviste. Il se passait quelque chose. Quelque chose de grave.

Le cœur battant à tout rompre, elle tira le téléphone de son sac et décrocha.

— Maman ?

—Martha Jane, Dieu merci !

Sa mère semblait être au bord des larmes. Il se passait effectivement quelque chose de grave.

—C'est… papa ?

—C'est ta sœur.

—Pammy !

Macie s'appuya contre le mur ; elle avait l'impression que le sol se dérobait soudain sous ses pieds.

Si elle ne parlait que très peu à ses parents, Macie était restée proche de sa sœur, ou du moins jusqu'à quelques mois auparavant, quand Pam avait cessé de l'appeler, de lui envoyer des messages ou des mails. À part quelques SMS, elles ne s'étaient pas parlé depuis un mois.

—Elle est à l'hôpital.

Sa mère lui expliqua que Pam était sortie en douce pour aller à une rave party et que quelqu'un avait mis de l'ecstasy dans son verre. Le mélange de la drogue et du médicament qu'elle prenait pour son asthme avait causé une mauvaise réaction, et elle avait été emmenée en urgence à l'hôpital.

—Elle te réclame, Martha Jane. Je sais que tu es très… occupée dans ta grande ville, mais pourrais-tu t'arranger pour venir ?

—Bien sûr que je vais venir ! Je te rappelle dès que je me serai occupée des détails. Pour l'instant, dis à Pam que je l'aime et que je suis en route.

Elle mit fin à l'appel et se précipita dans sa chambre, alluma son ordinateur et se mit à la recherche d'un vol.

Heureusement, l'aéroport national Reagan, le plus proche, était à moins de quinze minutes en voiture.

Tandis qu'elle consultait des sites de réservation, son esprit journalistique cherchait à comprendre où, quand et comment la situation avait pu tourner au cauchemar. Comment était-ce possible ? La dernière fois qu'elle avait rendu visite à sa famille, Pam était une ado de treize ans au visage tacheté de rousseur, se passionnant pour le basket et se souciant bien peu des garçons. L'idée même de sa petite sœur dans une rave, pelotée par des garçons et droguée, lui donnait des sueurs froides.

— Ça va ?

Elle leva la tête : Ross se tenait sur le seuil de sa chambre. Elle avait été si absorbée qu'elle ne l'avait pas entendu rentrer, et encore moins approcher. Sa réponse par défaut était de dire que bien sûr, ça allait, mais au lieu de ça elle secoua la tête et répondit en toute franchise :

— Non, ça ne va pas.

— Je peux entrer ?

Sans prévenir, elle craqua.

— Je t'en prie, dit-elle d'une voix rauque, avant d'enfouir son visage dans ses paumes, en pleurs.

Des pas approchèrent rapidement. Des mains, fortes et merveilleusement chaudes, se posèrent sur ses épaules tremblantes et caressèrent son dos voûté en dessinant de grands cercles.

— Eh, allons, allons, mon cœur ! Quoi qu'il se passe, je suis là. Nous allons trouver une solution ensemble.

Il se laissa tomber à côté d'elle. Elle l'avait imaginé de nombreuses fois dans sa chambre, dans son lit, mais jamais dans ces conditions.

— Raconte-moi, dit-il en passant son bras autour de ses épaules pour la soutenir.

Lovée contre son torse, elle lui résuma l'appel de sa mère.

— Bien sûr que tu dois y aller, dit-il dès qu'elle eut terminé. Je t'amènerai à l'aéroport.

Elle se passa une main sur les yeux : le mélange de larmes et de mascara la brûlait.

— Merci, mais j'appellerai un taxi.

— Je t'amène, déclara-t-il sur un ton qui ne permettait aucune protestation.

Et, pour une fois, Macie n'avait pas vraiment envie de protester. En vérité, elle aimait que Ross soit là pour prendre soin d'elle. Elle adorait cela.

Avec rapidité et efficacité, il commença à parler logistique.

— Tu auras besoin d'une voiture là-bas, et inutile de faire la queue dans une agence de location.

Il sortit son portefeuille et en tira sa carte American Express Platinum.

— Ross, je t'interdis de payer mon vol ou ma voiture de location.

— Trop tard, dit-il en réquisitionnant son ordinateur et en se mettant à pianoter sur le clavier. Je suppose que nous ferions mieux de prendre seulement un aller, pas un aller et retour ?

Sa voix sembla faiblir quand il prononça ces mots. Elle hocha la tête et prit un autre mouchoir dans la boîte.

— Jusqu'à ce que je voie Pam et que je sache ce que je dois faire, je ne serai certaine de rien.

Il arrêta ce qu'il était en train de faire et passa de nouveau son bras autour de ses épaules.

— Elle te réclame, et c'est bon signe. Cela veut dire qu'elle est consciente et alerte.

Macie se blottit contre lui et posa sa tête sur son épaule, intégrant sa force, absorbant son calme.

— Je ne peux pas perdre ma petite sœur, Ross. Je ne peux pas.

Ce sentiment était d'autant plus fort qu'elle risquait de perdre Ross et Sam à tout moment au cours des quelques semaines à venir.

Il l'embrassa sur le sommet de la tête.

— Je sais, chérie ; je sais.

Mais il ne savait pas, ou du moins pas encore. S'il apprenait l'existence de l'Opération Cendrillon, il ne serait plus capable de respirer le même air qu'elle, et encore moins de l'enlacer ainsi. Elle cala sa tête sous son menton et le serra fort dans ses bras. Après tout, c'étaient peut-être les derniers instants qu'ils passaient ensemble.

Quelques heures plus tard, Ross laissa Macie au dépose-minute de l'aéroport. Ouvrant le coffre de sa voiture et sortant la valise qu'elle avait préparée à la hâte, il eut soudain le sentiment que sa vie s'était effondrée autour de lui.

Déterminé à ne rien en laisser paraître, il sourit comme s'il était habitué à dire au revoir à une personne à laquelle il tenait sans savoir quand il allait la revoir.

— Écris-moi quand tu atterris, d'accord ? Et si tu as besoin de quoi que ce soit, y compris de quelqu'un à qui parler, appelle-moi. D'accord ? À n'importe quelle heure du jour ou de la nuit. D'accord ?

Elle tira la poignée rétractable de sa valise.

— D'accord, je le ferai. Merci pour… tout.

Tout autour d'eux, amis, familles et amants s'embrassaient. Regrettant que MJ et lui ne fassent pas partie de cette dernière catégorie et se demandant si ce serait un jour le cas, Ross tendit les bras pour la serrer contre lui.

— Prends soin de toi, dit-il en l'embrassant sur le front, et si tu as besoin de quoi que ce soit, tu…

— Je t'appellerai, promis.

Ross marqua une pause. Avancer avec précaution était une chose, mais soudain il se dit que, ces dernières semaines, il avait été plus que prudent. Il avait eu peur. *Qui ne tente rien n'a rien, Mannon.* Il se pencha pour l'embrasser.

Des coups de Klaxon les firent sursauter. Ross regarda le conducteur à face de furet de la berline garée derrière lui ; jamais il n'avait eu autant envie de tuer quelqu'un.

— Je ferais mieux d'y aller.

Elle lui adressa un petit sourire avant de tirer sa valise vers l'entrée du terminal.

Résistant à l'envie de cogner le chauffeur qui se lâchait sur son Klaxon, Ross remonta dans sa voiture. Le siège passager semblait tristement vide sans elle. Il s'engagea sur la route. Depuis quand avait-il tant besoin de MJ ?

Pourtant, ce ne fut qu'en rentrant chez lui que le vide qu'elle laissait derrière elle le frappa réellement. Et ce n'étaient pas seulement les plats faits maison, les chambres bien rangées ou la certitude qu'on s'occupait bien de Sam qui allaient lui manquer, même si toutes ces choses étaient formidables. C'était MJ elle-même. La façon dont son sourire illuminait une pièce, le son de son fredonnement, le parfum frais et léger qu'elle laissait derrière elle. Mais ce qui lui manquerait le plus serait sa façon de le regarder, avec ces si beaux yeux, quand il rentrait le soir. Ce regard lui donnait l'impression d'être invincible.

Reprends-toi, Mannon. Ce n'est pas ta femme. Ce n'est même pas ta petite amie, pas vraiment.

Il se racontait des histoires. En moins d'un mois, Martha Jane Gray était devenue bien plus que cela pour lui.

Avec Sam, elle était devenue tout son monde.

En ouvrant la porte, la mère de Macie, l'air fatigué, cligna des yeux.

— Martha Jane, tu es venue !

Debout sous le porche de ses parents, Macie fut frappée de voir à quel point sa mère semblait âgée. La femme tassée qui la rejoignit sur le perron était bien différente du dragon cracheur de feu de son enfance ou de celle qu'elle avait été lors de sa dernière visite. Cette fois-là, Macie portait un corset, un pantalon en cuir noir et des bottes gothiques, accessoires destinés à choquer ses parents. Cela avait fonctionné, et pourtant, avec le recul, il lui semblait qu'elle n'avait fait que gâcher futilement son énergie.

La maison de plain-pied avec un jeu de croquet et des cordes à linge plantées dans la pelouse de devant n'avait pas changé, mais elle ne lui faisait plus l'impression d'être une prison. Pour la première fois depuis plus de dix ans, des souvenirs heureux lui revinrent pour contrebalancer les mauvais. Il lui était arrivé une chose absolument horrible dans sa ville natale, mais elle avait aussi connu des instants heureux : elle avait fait du vélo pour la première fois sans les roulettes, passé de longs étés paresseusement plantée sous le porche, joué au loup et attrapé des papillons, reconnu Pam dans la mer de nouveau-nés rougeauds dans la nursery de l'hôpital en clamant que c'était « le plus beau bébé du monde ».

En atterrissant, Macie avait reçu le message de sa mère l'informant que Pam était sortie de l'hôpital. Ravie de cette bonne nouvelle, même si elle était honteuse d'avoir imaginé le pire, elle avait récupéré sa voiture de location et conduit jusque chez ses parents directement depuis l'aéroport.

Elle se pencha pour embrasser sa mère sur la joue.

— Je t'avais dit que j'étais en route, dit-elle.

Sa mère hocha la tête.

— Je sais. Mais je n'arrive pas à croire que c'est… toi, expliqua-t-elle en tenant Macie à bout de bras, l'observant avec de grands yeux. Tu es si jolie. Tu ressembles tellement à… toi.

Macie avait tiré ses cheveux en queue-de-cheval, passé les premiers vêtements qu'elle avait trouvés (un tee-shirt à manches longues et un jean) et enfilé des sandales à lanières, mais, à part cela, elle n'avait pas réfléchi à son apparence. Pas de costume, pas de subterfuge, pas de manipulation de son visage ou de son corps pour faire passer un message.

Sa mère la fit entrer dans le petit salon. Rien n'avait changé depuis sa dernière visite : les murs vert pomme, le canapé usé et la console en faux chêne n'avaient pas bougé. Étrangement, cela la réconforta. Après tout, tout n'avait pas été si mal à la maison. Elle se souvint soudain des samedis matin passés sur ce vieux canapé à regarder des dessins animés sur l'écran biseauté de la télévision, enveloppée par l'odeur des pancakes en train de cuire. Quand elle était enfant, le dimanche était le jour du Seigneur, mais le samedi était dédié à la famille et au divertissement.

Elle se retourna vers sa mère.

— Où est papa ? demanda-t-elle.

— Il est allé chercher les médicaments de Pam à la pharmacie. Il rentre bientôt.

— Pam est dans sa chambre ?

Sa mère hocha la tête.

— Elle se repose, mais, la dernière fois que je suis allée la voir, elle était réveillée. Quand elle a eu l'autorisation de sortir de l'hôpital, tu devais déjà avoir embarqué. Tu es venue de loin pour rien.

Les larmes aux yeux, Macie secoua la tête.

— Pas pour rien.

Sa mère passa une main rêche sur ses yeux humides.

— Je pense que le fait de savoir que tu arrivais a aidé ta sœur à guérir. Cela m'a profondément soulagée, moi aussi. Oh, Martha Jane, souffla-t-elle, je sais que ton père et moi ne nous sommes pas toujours bien comportés envers toi par le passé, mais, crois-moi, nous t'aimons profondément ! Et nous ne voulons plus te perdre. Le fait d'avoir failli perdre Pam m'a fait prendre conscience que j'avais été têtue et aveugle.

Les larmes roulèrent sur les joues de Macie. Elle ne prit pas la peine de les essuyer. Se rappelant la façon dont Ross avait pris sa fille dans ses bras quand elle lui avait avoué qu'elle avait magouillé avec son ordinateur, elle écarta les bras.

— Ne pleure plus, maman.

Elle enlaça sa mère. Alors qu'elle voulait seulement lui procurer du réconfort, elle fut surprise de voir à quel point c'était agréable de sentir les bras de sa mère autour d'elle après tant d'années.

— On parlera plus tard, dit-elle en s'écartant après quelques instants. Je vais voir Pam.

Sa mère hocha la tête.

— Vas-y. Je viendrai te chercher quand papa sera rentré.

Macie s'essuya les yeux et se dirigea vers la chambre de sa sœur, au fond de la maison. La porte était entrouverte. Avant d'entrer, elle prit une profonde respiration.

— Pammy ? appela-t-elle depuis le seuil.

Pam était calée sur des oreillers, les yeux rivés sur la petite télé posée sur la commode au milieu d'animaux en peluche. Son visage blême était plus émacié que dans les souvenirs de Macie ; ses cheveux autrefois blonds et soyeux étaient entortillés en dreadlocks, les pointes teintes en fuchsia.

Pam tourna la tête vers la porte. Ses yeux s'éclairèrent.

— MJ, tu es venue !

Macie s'approcha du lit.

— Bien sûr que je suis venue.

— Maman me l'avait dit, mais je ne l'ai pas crue. Tu la connais, avec ses prières.

Elle leva les yeux au ciel. Quelques semaines auparavant, Macie aurait fait de même.

— Elles ont peut-être fonctionné, se contenta-t-elle de répondre.

Pam se décala pour lui faire de la place sur le matelas, et Macie s'assit au bord du lit.

Elle tendit la main et toucha le front de Pam ; elle ne semblait pas avoir de fièvre.

— Comment te sens-tu ?

Sa sœur haussa les épaules.

— Pas trop mal. J'ai un peu mal à la gorge à cause de tous leurs tubes et j'ai encore mal au ventre, mais ça ira.

— Oui. Tu as eu de la chance. Ce ne sera peut-être pas le cas la prochaine fois.

Le sourire de Pam s'évanouit.

— Qui dit qu'il y aura une prochaine fois ?

— Je ne sais pas, à toi de me le dire. Il y aura une prochaine fois ?

Pam secoua la tête.

— Non.

— Pourquoi as-tu fait ça, Pam ? Tu n'étais pas une gamine stupide quand je suis partie. Tu ne l'es pas plus aujourd'hui. Mais ce que tu as fait, sortir en douce comme ça, c'était plus que stupide.

Pam se mordit la lèvre.

— Ouais, je sais. Mais… je m'ennuie ici.

Si Macie avait vécu plus près, si elle avait pris la peine de l'appeler davantage et de lui rendre visite de temps en temps, elle aurait peut-être évité à Pam les dangers les plus graves de l'adolescence, l'aurait dissuadée de faire ne serait-ce qu'une seule des nombreuses erreurs qu'elle-même avait faites. Au lieu de cela, elle avait été trop occupée à poursuivre ses rêves pour prendre le temps de le faire, ce qui faisait d'elle l'incarnation parfaite de l'égoïsme borné contre lequel Ross se soulevait dans son émission. Il n'avait peut-être pas tort, après tout.

— Tu pourrais peut-être me rendre visite à New York un de ces jours.

Pam écarquilla les yeux.

— Vraiment ? Tu crois que papa et maman me donneraient la permission ?

Peu de temps auparavant, Macie aurait répondu : « non, jamais », mais, après avoir parlé avec sa mère, elle n'en était plus si sûre. Sa mère s'était excusée. Si une telle chose était possible, tout pouvait arriver.

— Peut-être. Je ne te promets rien, mais je peux leur en parler, à condition que tu me promettes de ne jamais refaire quelque chose d'aussi stupide.

Le visage de Pam s'illumina. Elle tendit la main, dont les ongles étaient rongés jusqu'au sang, et serra celle de Macie.

— Je te le promets.

MJ était partie depuis plus d'une semaine. À part un bref message vocal lui disant qu'elle avait atterri et un SMS l'informant que sa sœur était sortie de l'hôpital et qu'elle se reposait à la maison, Ross n'avait pas eu de nouvelles. Quand reviendrait-elle ? Reviendrait-elle seulement ? Il ne comptait plus le nombre de fois où il avait pris et reposé la jolie chaussure rouge qu'il avait fait réparer pour elle.

Une réunion d'urgence fut convoquée à la station de radio, et Ross eut droit à un autre retour de bâton dû à la publication du magazine *On Top*. Un média rival appartenant aux conservateurs chrétiens du sud avait repris l'histoire et l'exploitait pour voler leurs sponsors. Trop occupé à gérer la crise, Ross sauta le déjeuner, mais cette affaire lui permit au moins de ne pas ruminer sans cesse à propos de MJ, ce qui était une bonne chose. Lorsqu'il releva enfin la tête, il était presque 19 heures.

Mince alors, Sam! Il était censé aller la chercher à sa répétition de théâtre... deux heures plus tôt. Il attrapa son téléphone portable. Pendant la réunion, il l'avait mis en silencieux, puis, comme le déjeuner, il l'avait oublié. Quatre messages vocaux l'attendaient, et il était prêt à parier qu'ils étaient tous de Sam.

16 h 45 : « Papa, c'est moi. La répétition a fini en avance. Tu peux venir me chercher quand tu veux. Bisous. »

17 h 15 : « Papa, je sais pas où t'es, mais des potes vont manger une pizza. Comme t'es pas encore là, j'ai dit que j'irai aussi. J'espère que ça ne te dérange pas. »

17 h 55 : « Bon, on a fini nos pizzas, et je ne te vois toujours pas. Sarah Johnson a dit qu'elle me ramenait. On se voit à la maison. »

18 h 56 : « Ici l'hôpital universitaire George-Washington. Il y a eu un accident de voiture. Votre fille, Samantha Mannon, a été transportée ici en ambulance. Elle a repris conscience et elle est aux urgences. Appelez-nous dès que vous aurez ce message. »

Ross parvenait à peine à respirer. Tremblant, il rappela le numéro, mais l'infirmière ou le docteur qui l'avait appelé avait dû le faire depuis une ligne interne puisque l'appel ne passait pas. *Merde!*

Reprends-toi, Mannon, et réfléchis! Il se passa la main dans les cheveux et se concentra quelques secondes sur sa respiration. L'hôpital était au cœur du quartier de Foggy Bottom. Le temps de trouver le numéro des urgences et d'avoir quelqu'un au téléphone, il pouvait y être. Il attrapa sa veste et ses clés de voiture, puis sortit en courant.

Le scénario était une situation que l'on ne retrouvait que trop souvent chez les adolescents. Un élève de la répétition avait mis la main sur des bières, et le groupe d'amis s'était garé derrière *Pizza Hut* pour faire une petite sauterie. La copine de classe avec qui Sam avait accepté de rentrer en voiture en faisait partie. L'accident avait eu lieu sur Rock Creek Parkway à l'heure de pointe, au pire moment possible. La conductrice, Sarah, avait dû piquer du nez, et la voiture avait dérivé sur la voie d'en face. Sam s'était penchée pour attraper le volant, mais c'était trop tard. Heureusement, le conducteur de la voiture qui arrivait dans l'autre sens les avait vues et avait fait un écart pour éviter de les percuter de front. Néanmoins, la voiture était bousillée ; mais c'était le dernier des soucis de Ross.

Sarah avait reçu un sacré savon de la part de l'officier de police assigné à l'affaire et était rentrée chez elle avec des blessures superficielles. On lui avait confisqué son permis dans l'attente d'une audience. Si Ross avait été son père, le seul véhicule qu'elle aurait conduit après l'accident aurait été une charrette.

Pour l'instant, cependant, tout ce qui importait était Sam. Ses blessures étaient toutes remédiables : une commotion cérébrale, un fémur cassé pour lequel elle aurait besoin d'une opération, quelques coupures et contusions spectaculaires.

— Je n'ai pas bu, papa, jura-t-elle sur le chariot d'hôpital sur lequel on l'avait installée pour aller au bloc opératoire. Je ne savais même pas qu'il y avait de la bière. Quand je suis arrivée, tout le monde était à l'intérieur en train de commander à manger. Sarah gloussait et semblait un peu fatiguée, mais je pensais que c'était parce qu'elle avait passé la nuit à écrire la dissertation d'histoire qu'on devait rendre. Tu me crois, hein ?

Il avait les yeux humides, remplis de larmes de culpabilité et de remords, mais aussi de gratitude et de reconnaissance. Il ne prit pas la peine de les essuyer et se pencha pour caresser les cheveux de Sam, en faisant bien attention à l'entaille sur son front, que le chirurgien plastique venait de recoudre.

— Oui, ma puce, je te crois. Et j'espère seulement que tu pourras me pardonner, parce que moi, je ne vais pas me pardonner de sitôt. Oublier de venir te chercher, c'est inexcusable. Mais ce n'est pas à toi de t'inquiéter. Je veux que tu te concentres sur ta guérison.

Une aide-infirmière en blouse et calot transparent s'avança vers eux.

— Monsieur, nous devons l'emmener maintenant.

Ross recula.

— Je t'aime, ma chérie, et je serai là quand tu te réveilleras.

— Je t'aime aussi, papa.

Il regarda les infirmiers la pousser vers la salle d'opération et sourit à Samantha, les yeux remplis de larmes. La dernière fois qu'il avait assisté à une scène similaire, elle était sur le point de se faire retirer les amygdales. Il se laissa tomber sur un siège en plastique de la salle d'attente et prit un moment pour adresser une prière silencieuse pour remercier le ciel. Cela aurait pu être pire. Bon Dieu, il aurait pu la perdre ! Quel genre de père était-il ? Pouvait-il y avoir sur terre plus grand hypocrite que Ross Mannon ? Publiquement, il prêchait l'importance de faire passer sa famille en premier, mais, dans sa vie privée, il n'avait pas su mettre cet idéal en pratique. Sam avait besoin de stabilité, d'un vrai foyer, et peut-être bien que Ross aussi. De plus en plus ces derniers temps, il associait cette idée de foyer à MJ.

L'opération et la récupération de Sam prirent environ deux heures. On la ramena dans sa chambre, profondément endormie. Ross se tint à l'écart tandis que les infirmiers la soulevaient du chariot pour la mettre sur son lit.

Je ne te décevrai plus jamais, ma puce. Jamais !

Les minutes se transformèrent en heures. Songeant au futur et sirotant un café serré, Ross perdit la notion du temps. À un moment, le chirurgien orthopédique passa pour lui parler de l'intervention (il avait réaligné le fémur, puis inséré une plaque en métal et des vis) et du traitement postopératoire à suivre.

Vers 23 heures, Sam ouvrit un œil.

— Papa ?

Ross se précipita à son chevet.

— Je suis là, ma puce. Comment te sens-tu ?

Elle le regarda d'un air groggy.

— Ça va. Je suis… fatiguée. J'ai soif.

Il lui donna des petits glaçons, car elle n'avait droit à rien d'autre jusqu'au lendemain matin, puis elle sombra de nouveau dans le sommeil.

Une infirmière de nuit passa vérifier si tout allait bien et changer sa perfusion, mais ils furent seuls durant la plupart du temps. Un éclaircissement de gorge dans le couloir le prévint que leur paix relative était sur le point d'être brisée.

Pensant que c'était de nouveau l'infirmière, Ross demanda dans un murmure :

— Elle est si paisible. Ne pouvez-vous pas la laisser dormir un peu plus longtemps ?

— Je ne la réveillerai pas, promis, répondit une voix féminine depuis le couloir.

Ross se retourna : MJ se tenait sur le seuil. Elle semblait être l'ombre de la femme qu'il avait laissée à l'aéroport plus d'une semaine auparavant, et pourtant elle était toujours aussi belle, même en manque de sommeil et sans maquillage. Il bondit sur ses pieds, de peur de l'avoir imaginée, de peur qu'elle ne disparaisse à tout instant, et faillit renverser son gobelet de café.

Elle regarda en direction du lit.

— Comment va notre puce ? murmura-t-elle.

Il lui fit signe qu'elle allait bien, et elle se glissa auprès de Sam. Tendant la main au-dessus de la barre de sécurité du lit, elle remit en place la couverture que Sam avait repoussée de sa jambe valide. Ross sentit son cœur se serrer et le peu de résistance qui lui restait s'évanouir.

Il savait qu'il avait des sentiments pour MJ, des sentiments puissants, mais le mot « sentiments » ne semblait pas assez fort pour décrire ce qu'il ressentait véritablement. Ce qu'il ressentait pour elle était de l'amour, un amour pur et sincère, et cela avait beau être inopportun, il était enfin prêt à cesser de se battre contre cette émotion et à céder, tout simplement.

Elle s'écarta du lit et se retourna vers lui, sans toutefois croiser son regard. L'appréhension s'empara de lui. Il posa son gobelet sur la table et lui fit signe de le suivre dans le couloir. Là, il l'informa des détails de l'opération.

— Sa jambe gauche est salement amochée, elle s'est fracturé la cheville et cassé le fémur, mais l'opération s'est très bien passée. Une fois qu'ils enlèveront le plâtre, elle aura besoin de rééducation, mais l'orthopédiste pense qu'elle guérira très bien. Pour l'instant, ils la gardent ici pendant quarante-huit heures, puis elle pourra rentrer.

— Bonne nouvelle, soupira MJ. Quand le concierge m'a dit ce qui s'était passé, j'ai imaginé le pire.

— Ça a failli être pire, bien pire, souffla-t-il en se passant la main dans les cheveux. Si l'autre voiture ne les avait pas vues à temps pour se décaler, si l'airbag ne s'était pas ouvert, elle ne serait certainement pas là.

MJ posa une main sur son épaule.

— Ne te torture pas. L'autre conducteur les a vues, l'airbag s'est déclenché, et elle est là, elle va s'en sortir.

Il hocha la tête.

— Pas grâce à moi.

Il ne voulait pas accabler MJ, mais, sans s'en rendre compte, il se mit à tout lui avouer, le téléphone en silencieux et les appels manqués, l'oubli d'aller la chercher à l'école.

— Pas étonnant qu'elle ne me fasse pas confiance, conclut-il tristement.

— Ce n'est pas vrai, répliqua fermement la jeune femme.

— Comment va ta sœur ? demanda-t-il pour changer de sujet.

— Elle se repose toujours à la maison et jure qu'elle ne sortira plus en douce. Il y a de l'espoir.

— Comment vas-tu ?

Il remarqua une nouvelle fois les cercles noirs sous ses yeux. Pour quelqu'un qui avait reçu de bonnes nouvelles, elle avait l'air très stressée. Elle cligna des yeux.

— Je vais bien, je suis contente de ne pas être dans un avion. Malgré les circonstances, le fait d'aller voir ma famille a été… cathartique.

Que voulait-elle dire ?

— Tu devrais aller te coucher. Tu pourras venir voir Sam demain quand vous serez toutes les deux réveillées.

Elle ne protesta pas.

— D'accord, si tu es sûr.

Elle se retourna pour partir. Il s'élança derrière elle.

— Attends, je te ramène.

— Merci, dit-elle en le chassant d'un geste de la main, mais je suis une grande fille et une New-Yorkaise. Je prends tout le temps le taxi. D'ailleurs, j'en ai pris un pour venir ici.

Certes, mais Ross ne changerait pas d'avis.

— Il est presque 1 heure du matin, et nous ne sommes pas à New York. Ma voiture est dans le parking de l'hôpital. Tu me rendrais service. Cela me ferait du bien de sortir un peu d'ici.

Elle hésita quelques secondes avant de céder.

— D'accord, si tu es sûr.

— Oui.

— On dirait que toi aussi, tu as besoin de sommeil, fit-elle remarquer tandis qu'ils se dirigeaient vers l'ascenseur.

— Non, ça va, à part que j'ai l'impression d'être le pire parent du monde.

Elle posa sa main sur son avant-bras. Maintenant que sa panique parentale s'était calmée, la sensation de ses doigts sur sa peau le fit presque frissonner.

— Ross, combien de fois dois-je le dire ? Ce n'était pas ta faute.

— Foutaises, c'était complètement ma faute ! La raison pour laquelle elle était dans cette voiture, c'est que j'ai oublié d'aller la chercher. J'ai laissé ma propre fille à la merci d'une conductrice ivre. Je suis un père pitoyable.

Les portes de l'ascenseur s'ouvrirent. Il la laissa passer puis entra à son tour, ne sachant plus à quel étage du parking s'arrêter. Quand il s'était garé, il était hagard, ignorant à quel point Sam était blessée. Il fouilla dans la poche de son jean, trouva le ticket de parking et le sortit. Deuxième étage : il se rappelait à présent. Il appuya sur le bouton correspondant, et l'ascenseur entama sa descente.

Les portes se rouvrirent, et ils sortirent. Le garage, qui était plein quand il était arrivé, était maintenant presque désert, et il n'eut aucun mal à trouver sa Ford Explorer. Il sortit ses clés, déverrouilla la voiture et ouvrit la portière passager. Macie se glissa à l'intérieur tandis qu'il faisait le tour du côté conducteur et montait dans la voiture. Il verrouilla les portières, jeta les clés dans le porte-gobelet et se tourna vers elle.

Elle eut soudain l'air inquiète.

— Tu es épuisé. Tu es certain de pouvoir conduire ?

Il hocha la tête.

— J'ai pris des tonnes de café. Je ne pourrais pas m'endormir, même si j'essayais.

C'était une bonne chose en ce qui le concernait : ils avaient des choses à se dire.

— En vérité, je n'ai plus envie de parler de moi. Je préférerais qu'on parle de ce qui t'arrive.

— Que veux-tu dire ?

Il soupira.

— Tu me caches quelque chose, quelque chose d'important. Qu'est-ce que c'est ?

Elle serra les lèvres, comme si elle avait peur que le secret ne lui échappe.

— Rien que toi ou qui que ce soit ne puisse changer.

— Parle-moi. J'aimerais aider si je peux.

Elle leva les yeux. Enfin, elle croisait son regard !

— Si je pouvais revenir un mois en arrière et changer les choses, je le ferais, mais je ne peux pas. Personne ne peut changer son passé.

— Qui te demande de le faire ?

Que regrettait-elle ? D'être venue à Washington, d'avoir accepté le poste, de l'avoir accepté, lui ?

— Parlons de l'instant présent, poursuivit-il, à commencer par cela : vas-tu rester avec nous ?

Elle baissa les yeux sur ses mains croisées sur ses genoux.

— Je suis de retour pour l'instant, mais... tu devrais certainement commencer à me chercher une remplaçante.

Sa réponse ne le surprit pas vraiment. Elle avait plus ou moins dit ce qu'il pensait – redoutait – depuis qu'elle était entrée dans la chambre d'hôpital de Sam. Pourtant, l'entendre le dire à voix haute lui serra le cœur.

Il tendit la main et prit son visage au creux de sa paume.

— Tu es absolument irremplaçable, pas seulement pour Sam, mais pour moi. Après tout ce que nous venons de traverser, comment est-il possible que tu ne le saches pas ?

Son expression angoissée le toucha.

— Ross, je t'en prie.

Il prit ses mains froides entre les siennes.

— Écoute, MJ : je sais que les choses sont un peu floues entre nous, et c'est entièrement ma faute. Mais…

Elle le coupa en secouant vivement la tête.

— Arrête de t'excuser ! Ce n'est pas toi, c'est moi. C'est moi qui suis paumée, et je l'ai bien compris cette semaine. Cela faisait presque deux ans que je n'étais pas rentrée chez moi, et il a fallu que ma petite sœur risque de mourir pour que je rentre. J'ai besoin de prendre du temps pour réfléchir à ma vie et à la direction qu'elle prend.

Ross fit de son mieux pour que sa voix ne trahisse pas ses sentiments ; il se sentait si blessé soudain.

— Et Sam et moi ? J'aime à penser que nous comptons pour toi.

— Bien sûr que vous comptez. Vous comptez énormément pour moi, tous les deux.

Ce n'était pas vraiment une déclaration d'amour, mais, pour l'instant, Ross s'en contenterait. Elle lui avait tant manqué que, plutôt que d'exiger d'autres réponses, il la serra contre lui. Ses lèvres trouvèrent son front, ses paupières, puis sa bouche, et ils se mirent à se peloter comme des adolescents ; il glissa ses mains dans le pantalon de MJ tandis qu'elle essayait de lui retirer sa chemise.

Plutôt que de répéter le passé, il s'écarta brusquement et mit la clé dans le contact.

— Si cela t'est égal, je préférerais que notre première fois n'ait pas lieu dans la voiture.

MJ méritait mieux, elle méritait ce qu'il y avait de mieux, et, si leur phase de séduction n'avait pas été conventionnelle (ils avaient sauté plusieurs chapitres), la moindre des choses était d'entamer leur relation charnelle dans un vrai lit.

Elle le dévisagea, perplexe.

— Et Sam ?

— Elle s'est réveillée deux minutes, un peu plus tôt. Avec l'anesthésie et les médicaments, je pense qu'elle sera KO toute la nuit. Je reviendrai tôt demain matin. Mais, dans l'immédiat, je te ramène chez moi, dans mon lit. Si tu n'as pas d'objections, je vais te faire l'amour à l'ancienne : tendrement, pleinement, et toute la nuit.

Chapitre 9

La porte de l'appartement venait à peine de se refermer derrière eux que, déjà, Macie retirait son manteau et déboutonnait son chemisier. Plus tôt, dans le parking, elle avait pu se détendre et se laisser aller, certainement parce qu'elle savait que Ross était trop galant pour la prendre dans sa voiture. Mais à présent qu'ils étaient chez lui, sur le point de coucher ensemble, ses vieilles craintes refaisaient surface. Soudain, elle avait de nouveau seize ans et était enfermée dans une étreinte étouffante empestant le parfum bon marché.

Ross posa ses mains sur les siennes.

— Eh, doucement, on ne fait pas la course ! Et puis j'avais hâte de te déshabiller moi-même.

— Désolée. Je voulais seulement entrer dans le vif du sujet.

Elle inspira profondément et regarda derrière lui, en direction de la cuisine.

— Nous devrions peut-être boire un coup.

Elle était incapable de se rappeler s'il restait de la vodka. Il la dévisagea.

— Tu veux un cocktail maintenant ? Il est presque 2 heures du matin.

Elle laissa échapper un rire discordant.

— Je suis sûre qu'il est l'heure de l'apéro quelque part.

Si elle n'avait pas d'alcool dans le sang pour se détendre, elle devrait se dépêcher comme elle l'avait fait jusque-là, sinon l'angoisse la paralyserait. Elle se jeta sur lui, déboutonnant sa chemise de ses doigts froids et maladroits.

Il l'attrapa par les poignets et la força à baisser les bras tout en cherchant à croiser son regard.

— Qui t'a fait du mal, MJ ? Il est évident que tu es nerveuse à l'idée qu'un homme te touche.

Elle secoua la tête, furieuse d'être aussi brisée et que cela soit si évident, tant d'années après.

— C'est ridicule. Avant de venir ici, j'avais un petit ami à New York. Un vrai petit ami.

Bon Dieu, elle parlait comme une fille de seize ans ! Sans parler du fait qu'elle mentait, encore une fois. C'était agréable de passer du temps avec Zach quand il était de bonne humeur, mais, en toute honnêteté, c'était surtout pratique. Elle n'avait pas décroché le gros lot avec lui. Pourtant, elle avait tenu la distance, non pas parce qu'elle était masochiste, mais parce qu'elle n'avait jamais eu de véritable relation, et lui non plus.

— Tu as aussi ce problème avec lui ?

Elle détestait se sentir vulnérable.

— Je n'ai aucun problème avec le cul, cow-boy, et je sais faire des choses dont tu n'as jamais entendu parler.

Au diable MJ ! Macie Graham voulait se venger, elle avait quelque chose à prouver. Elle posa sa main sur la braguette de Ross. Sous son treillis, elle sentit une érection de la taille… du Texas. Elle prit la chair ferme au creux de sa main, et, comme elle s'y attendait, il écarquilla les yeux.

Toutefois, il repoussa sa main en soupirant.

— Garde cette idée en tête. Mais, pour l'instant, allons nous asseoir sur le canapé pour parler un peu.

Il lui tendit la main. Elle hésita.

— Viens, chérie.

Sa gentillesse eut raison d'elle. Au bord des larmes, elle saisit sa main et le laissa la guider dans la grande pièce. Ils s'assirent côte à côte sur le canapé. Tirant sur les pans de son chemisier, elle blottit ses genoux contre sa poitrine.

— Désolée d'avoir tout gâché.

Elle soupira, tremblante. Elle avait froid soudain et se sentait vide.

— Tu n'as rien gâché, lui souffla Ross en passant son bras autour de ses épaules pour l'attirer contre lui. Respire. D'accord ?

Il lui montra comment faire, inspirant profondément, puis expirant de la même façon. Macie l'imita. Étonnamment, cela lui fit le plus grand bien.

— Tu es… doué pour ce… truc de respiration.

Il lui sourit.

— Si ça ne marche pas pour moi à la radio, je pourrai toujours enseigner la respiration Lamaze.

Contre toute attente, elle se mit à rire. Elle se détendit et lâcha les pans de son chemisier.

— Voilà, on te rhabille pour l'instant. D'accord ? proposa-t-il.

Elle hocha la tête, et il reboutonna son corsage.

— D'abord tu fais la cuisine, et maintenant tu rhabilles une fille consentante, songea-t-elle à haute voix. Tu fais sauter ton image de macho de manière spectaculaire.

Il lui décocha un clin d'œil.

— Ce sera notre secret.

Les secrets… Macie était une experte en la matière.

— Je suis brisée, Ross, confia-t-elle en se laissant tomber contre les coussins du canapé. Je ne peux pas… je n'ai jamais pu… enfin… jouir.

Il la regarda, l'air soucieux.

— Tu en as parlé à un médecin ?

— Ce n'est pas un problème physique, mais… mental.

Elle inspira profondément avant de se lancer.

— Quand j'étais ado, à l'âge de Sam à peu près, mon pasteur m'a violée.

Voilà, elle l'avait dit.

Il repassa son bras autour d'elle.

— Chérie, je suis désolé.

Elle hocha la tête.

— Quand j'ai enfin trouvé le courage de le dire à ma mère, elle a refusé de me croire. À ses yeux, et aux yeux de toute la communauté, le pasteur Meeks était un homme bon et très religieux, ce qui voulait dire que j'avais certainement tout inventé.

Macie s'était défendue à sa manière, se colorant les cheveux de toutes les couleurs de l'arc-en-ciel, portant exclusivement du noir et sautant les cours pour se cacher dans les bois près du terrain de football. Elle avait passé la majeure partie de ses journées d'école là, à fumer de l'herbe et à lire Sylvia Plath en se demandant quand la vie cesserait d'être aussi douloureuse.

— Ma conseillère d'orientation a vu que quelque chose n'allait pas, tout le monde le voyait, mes notes avaient largement baissé, mais je ne l'ai jamais plus dit à personne. Je voulais seulement oublier, oublier et ne plus rien ressentir. Je me suis mise à boire et à me droguer. Je prenais surtout de l'herbe, mais j'ai aussi essayé les pilules. Je n'ai jamais vraiment touché le fond, dit-elle en relevant la tête avec rage, mais je ne m'en suis jamais vraiment relevée non plus. (Elle marqua une pause et regarda Ross.) Quand je suis rentrée cette semaine, ma mère s'est excusée. Mon père aussi. C'est un vrai miracle. « Désolé » ne fait pas partie du vocabulaire de mes parents. Je m'étais toujours dit que, si cela arrivait, ce serait comme si quelqu'un avait agité une baguette magique : non seulement cela me donnerait raison, mais je me sentirais mieux soudain, je serais... guérie.

Ses épaules s'affaissèrent. Elle soupira.

— Manifestement, ce n'est pas le cas.

Ross l'avait laissée parler sans l'interrompre.

— Tu as pensé à parler à quelqu'un, à un professionnel ? demanda-t-il enfin.

Elle hocha la tête.

— Je l'ai fait, il y a quelques années.

Elle venait alors de commencer à fréquenter Zach qui se plaignait qu'elle était frigide. La peur de le perdre, son premier vrai « petit ami » depuis des années, l'avait poussée à chercher de l'aide.

— Qu'a-t-il dit ?

En dépit du sérieux de leur conversation, elle sourit.

— C'était une femme, en fait, et pas une psy, mais une gynéco. Après l'examen, nous avons parlé des troubles de stress post-traumatique, et elle m'a donné les coordonnées d'un groupe de soutien pour les survivants d'agression sexuelle.

Seulement, assise dans le cercle du groupe de soutien, Macie n'avait pas eu l'impression d'être une survivante, mais un fantôme.

— J'y suis allée une fois. Une fois de trop. C'était nul. M'asseoir en cercle avec des femmes tristes qui ont peur de leur ombre n'était pas mon truc, et ça ne l'est toujours pas. Je préfère m'apitoyer sur moi-même en solo.

Elle tenta de rire, mais il ne se joignit pas à elle.

— Tu as déjà pensé à aller voir un autre groupe ou un thérapeute, ou les deux ?

— Je ressors la brochure de temps en temps et je la regarde. Ça compte ?

— Probablement pas.

Elle joua avec la bordure du coussin qu'elle avait commencé à serrer contre elle sans s'en rendre compte.

— Chaque fois que je couche avec un homme, j'essaie de me dire que ça peut être différent…, mais ce n'est jamais le cas.

Merde, elle n'aurait peut-être pas dû lui dire ça ! Rescapée d'agression sexuelle ou pas, Martha Jane Gray devait être une femme célibataire. Macie Graham, quant à elle, ne l'était certainement pas.

Elle leva les yeux pour jauger sa réaction. Sa compassion faillit la faire craquer.

— Tu n'as peut-être pas trouvé le bon.

Macie détourna le regard vers le mur opposé, où était pendue une photographie en noir et blanc du Washington Monument, image plutôt phallique maintenant qu'elle y pensait, et secoua la tête.

— Et j'imagine que tu es l'homme de la situation ?

Il posa une main sur son épaule. De l'autre, il se mit à jouer avec sa queue-de-cheval, ce qui était étrangement apaisant.

— Serait-ce si terrible si c'était le cas ?

Elle pouffa.

— Je me passerais bien de ton numéro de macho. Je suis sûre que tu es doué, voire très doué, mais je ne crois pas que ce soit une bonne idée. Je ne suis pas…

Il la fit taire en l'embrassant, effleurant tendrement ses lèvres qui bougeaient encore. Macie sentit un frisson de plaisir la parcourir de la tête aux pieds. Il s'écarta doucement et posa son front contre le sien.

— Tais-toi et écoute. Ça va être différent cette fois parce que je suis moi et que tu es toi. Et nous allons avancer aussi lentement que tu le voudras. C'est compris ?

Elle hocha la tête.

— Et à la seconde où je fais quelque chose qui te met mal à l'aise ou te fait peur, tu me le dis. Et je m'arrêterai.

Sa main retomba. Il lui décocha un clin d'œil, et elle se sentit mieux ; ses clins d'œil étaient plus puissants que la poudre de perlimpinpin.

Elle hocha de nouveau la tête, incapable de répondre, la gorge nouée par les larmes qu'elle retenait.

— Et au fait, vu que je suis « vieux jeu » comme on dit, je refuse ce numéro de femme moderne qui se retient. Si tu veux pleurer, tu pleures. D'accord ?

— D… d'accord.

La seconde suivante, elle sanglotait, lovée contre son torse. Il la tenait tout contre lui et l'embrassait tendrement, lui chuchotant de ne pas se faire de souci et de se laisser aller. Parce qu'il était là et que, peut-être enfin, tout allait bien se passer.

Elle pleura comme elle n'avait pas pleuré depuis longtemps, jusqu'à ce qu'elle n'ait plus de larmes, de souffle ou de tristesse à évacuer. Elle pleura jusqu'à ce que la douleur et la colère ne soient plus qu'une pique supportable, submergées par le contentement agréable qu'elle ressentait au plus profond d'elle-même. Elle pleura jusqu'à ce qu'elle ne sache plus pourquoi elle pleurait : la perte de son innocence, la trahison des adultes qui étaient censés l'aimer et la protéger, ou simplement la beauté de cette purification, du fait de se libérer, enfin, de son passé.

À un moment, Ross se leva, la prit dans ses bras et la porta jusque dans sa chambre. Il s'approcha du lit et la déposa doucement sur le matelas, puis s'allongea à côté d'elle. À moitié endormie, Macie se blottit contre lui. Il embrassa son visage baigné de larmes, lui murmura qu'elle était en sécurité, qu'il était là et que, dorénavant, tout allait bien se passer. Les yeux fermés, Macie s'assoupit.

Elle était en sécurité. Ross était là. Mais pour combien de temps ?

Macie fut tirée du sommeil par le son de *Your Cheatin' Heart*, de Hank Williams. Jamais elle n'aurait choisi cette chanson comme réveil. Gardant les yeux fermés, elle commanda au son tenace de cesser. Puisqu'il ne s'arrêtait pas, elle tendit la main vers la table de chevet pour l'arrêter.

Seulement, elle n'était pas dans sa chambre, ni dans celle de New York, ni dans celle de Washington. Elle était dans la chambre de Ross, et le lit était vide à côté d'elle. Soudain, la nuit précédente lui revint en mémoire, et elle enfouit son visage entre ses mains en grognant. Une petite toux attira son attention vers la porte. Elle ouvrit un œil et leva la tête de l'oreiller. Ross se tenait sur le seuil, en tee-shirt et en jean, avec une trace d'oreiller sur la joue. Par réflexe, elle voulut tirer les draps sur elle, avant de se rendre compte qu'elle portait encore les vêtements de la veille.

Il entra, une tasse de son fameux café à la main.

— Tu as bien dormi ?

— Oui, dit-elle en se décalant pour lui faire de la place au bord du lit. Quelle heure est-il ?

— Midi passé.

Il lui tendit le café puis arrêta la sonnerie du portable.

— Et Sam ?

Elle se rappelait qu'il voulait retourner à l'hôpital ce matin-là.

— J'y suis allé tôt ce matin et je l'ai aidée à prendre son petit déjeuner, puis je suis rentré et je me suis glissé dans le lit avec une certaine marmotte.

Macie prit une gorgée de café, savourant le fort arôme de chicorée. Quelques semaines auparavant seulement, elle l'aurait trouvé trop fort à son goût, mais à présent elle ne pouvait imaginer le prendre autrement.

— À propos d'hier soir…

Elle posa la tasse sur la table de nuit, en prenant soin de la mettre sur le sous-verre pour ne pas laisser de trace sur le bois – décidément, elle avait changé.

— Je suis désolée de t'avoir déçu.

— Est-ce que j'ai dit que j'étais déçu ? répliqua Ross.

La galanterie était une chose, mais son sens de l'honneur allait trop loin.

— Ross, nous n'avons pas…

— Écoute, chérie, ce que tu as traversé est horrible, c'était un crime. Pour ce que ça vaut, j'ai passé une bonne partie de la nuit à réfléchir à comment retrouver ce salaud.

Touchée, Macie secoua la tête.

— Il y a prescription depuis longtemps, et, même si ce n'était pas le cas, c'est un vieil homme aujourd'hui. S'il est encore en vie, j'espère qu'il est trop décrépit pour faire du mal à un autre enfant. Il est temps de passer à autre chose. Je veux passer à autre chose, Ross, à commencer par ce que nous n'avons pas fait hier soir. Tu me désires encore ? demanda-t-elle en l'invitant à la rejoindre.

Il déglutit.

— Je te désire tellement que cela me terrifie.

Elle l'attrapa par le poignet et le tira vers elle.

— Passons un marché : à partir de maintenant, ni toi ni moi n'aurons plus peur.

Il s'allongea à côté d'elle.

— Pour information, je ne te laisse pas sortir de ce lit tant que tu n'as pas joui.

— Eh bien, docteur Mannon, plaisanta-t-elle en souriant, cela ressemble à un défi !

Il lui adressa un large sourire.

— Ma chérie, tu le prends comme tu veux, mais surtout, considère cela comme une promesse.

Allongée sur le ventre, Macie leva la tête pour regarder Ross qui lui massait le dos.

— C'est la décadence. Je pourrais rester comme ça toute la journée.

Il s'esclaffa.

— Je ne t'en empêche pas.

Il avait enlevé son tee-shirt, mais gardé son jean. Une mèche de cheveux tombait sur son front, lui donnant un air juvénile, empli de tendresse.

— Mais tes bras doivent être fatigués, protesta-t-elle.

Il secoua la tête.

— Même pas. Je pourrais faire ça pendant des heures.

Macie n'en doutait pas. Son gentleman texan était l'homme le plus patient qu'elle connaisse, et le plus généreux. Cela faisait plus d'une heure qu'ils étaient au lit, et ils n'avaient encore rien tenté sexuellement. Plus tôt, elle avait voulu lui faire une fellation, mais il avait refusé ; cette journée était dédiée uniquement à elle, avait-il insisté.

— Demain, quand j'irai chercher Sam à l'hôpital, on redeviendra tous les deux des citrouilles, alors j'en profite.

— Sam ! s'écria Macie en tentant de se redresser. J'étais censée lui rendre visite aujourd'hui.

Les mains de Ross la plaquèrent doucement contre le matelas.

— Je lui ai dit que tu ne te sentais pas bien. Je n'ai pas vraiment menti.

Macie se mordit la lèvre : elle avait tant menti à Ross et à Sam…

La main de Ross descendit le long de sa colonne vertébrale, caressant ses courbes là où son dos et ses fesses se rejoignaient.

— Comment te sens-tu maintenant ?

La question fut suivie par une pression de ses lèvres contre le bas de son dos, et la relaxation prit soudain un tour plus érotique. Macie inspira doucement.

— Mieux.

Il l'embrassa ensuite sur la fesse gauche.

— Et maintenant ?

— Super bien…

Il l'embrassa aussi sur la fesse droite tout en la pétrissant au creux de sa paume.

— Et maintenant ?

— Ross, tu me tues.

— Bien. Maintenant, touche-toi pour moi.

— Quoi ?

— Tu m'as entendu. Touche-toi. Je serai juste là.

Était-il réellement en train de suggérer qu'elle se masturbe devant lui ? Connaissant ses valeurs sociales conservatrices, elle avait supposé que, s'ils couchaient ensemble, ce serait en missionnaire et rien d'autre. Jusque-là, ils n'avaient pas fait beaucoup plus que se peloter, mais elle avait déjà entrevu des possibilités qu'elle n'avait pas même osé envisager.

Il se coucha doucement sur elle. Elle sentit les poils de son torse effleurer son dos. Puis il se mit sur le flanc et la serra contre lui. Elle sentait sa dureté contre sa peau, non loin de là où il l'avait embrassée.

— Tu ne veux pas mettre une capote et…

Il la coupa d'un claquement de langue.

— Tu es toujours si pressée. Nous avons toute la journée et toute la nuit. Je ne vais nulle part, et toi non plus. Maintenant, touche-toi, chérie. Voyons le plaisir que tu peux ressentir.

Elle hésita, puis glissa sa main entre ses cuisses écartées. Elle était mouillée, très mouillée. C'était bon signe. Elle s'était masturbée de nombreuses fois en privé (toute femme clamant qu'elle ne l'avait jamais fait était soit une sainte, soit une sacrée menteuse). Parfois, elle atteignait même un petit frisson. Même si cela était agréable, c'était bien loin du plaisir orgasmique qu'elle recherchait et décrivait dans ses articles depuis cinq ans. Écrire sur un tel sujet lui avait donné le sentiment d'être un imposteur.

Comme s'il lisait dans ses pensées, il murmura :

— Il ne faut pas que ton seul objectif soit d'atteindre une ligne d'arrivée. Apprécie le chemin qui t'y mène.

Il lui mordilla le cou, et Macie frémit.

— Je vais essayer.

Il posa sa main sur la sienne, non pour la guider, mais pour accompagner son mouvement.

— C'est ça, chérie. Ne te retiens pas. Vas-y.

Se serrant contre lui, elle glissa son doigt en elle, imaginant que c'était lui qui la pénétrait.

— Tu es si mouillée, susurra-t-il à son oreille. Si chaude.

Elle déglutit.

— C'est toi qui me fais cet effet.

Mouillé, palpitant, son clitoris battait comme un cœur miniature.

— J'ai hâte de t'embrasser là, de te goûter.

L'image de sa tête blonde entre ses cuisses écartées fit flamber ses sensations. Se cramponnant à ce scénario, elle caressa son clitoris, et le plaisir s'exacerba.

— C'est ça. Doucement mais sûrement.

Il avait peut-être raison, mais soudain elle ne pouvait plus se retenir, non parce qu'elle avait peur que l'angoisse ne prenne le dessus, mais parce qu'elle était si excitée qu'elle craignait d'exploser. Comme un bouton sur le point de fleurir, son clitoris était dur, chaud, tendu. Elle se toucha encore, plus fort, plus vite.

Et soudain l'impensable se produisit. La tension disparut, et elle fut libérée de ses chaînes. Secouée de spasmes, le plaisir l'envahit, pas seulement entre les jambes, mais dans tout son corps, tout son être, présent précieux qu'elle attendait depuis longtemps.

Et elle le partageait avec Ross qui l'enlaçait tendrement, sa chaleur l'enveloppant tout entière.

Sachant qu'elle était en sécurité, elle renversa sa tête en arrière et cria le seul mot qui résumait tout ce qui semblait sensé dans l'univers qui s'ouvrait enfin à elle.

— Ross !

La ferveur de conte de fées prit fin bien trop vite, la laissant flasque, épuisée et satisfaite, pour l'instant du moins. Le souffle court, elle se tourna pour regarder son prince charmant. Il la regarda, un large sourire aux lèvres, les yeux brillants.

— Bienvenue au club, chérie.

Elle roula sur le côté et attrapa le drap.

— Ça veut dire que je deviens membre ?

Il se redressa sur un coude et lui sourit.

— Oui, m'dame, tu as ta carte de membre.

Elle regarda le réveil. Il était presque 17 heures. Comment était-ce possible ?

— Tu as faim ? demanda-t-elle, prenant soudain conscience qu'elle n'avait pas mangé depuis le repas servi dans l'avion la veille.

— Je meurs de faim.

Il se pencha pour lui mordiller le cou. Macie sourit.

— Super, parce que je connais quelqu'un qui fait des *huevos rancheros* méchamment bons.

Ross sourit.

— Du moment que le chef cuisine nu, je suis pour.

Ils mangèrent leurs œufs au lit, accompagnés d'une bouteille de chianti qu'ils avaient eu la chance de trouver au fond d'un placard. Macie savait que faire l'amour pouvait être torride, mais, jusqu'à présent, elle ne savait pas que ce pouvait être fait avec espièglerie. Ross aspira de la sauce dans son nombril. Il lui fit manger de la crème avec sa fourchette et ses doigts. Il déposait des baisers épicés sur sa bouche, son ventre, et plus bas encore. Quand il glissa ses mains sur l'intérieur de ses cuisses, Macie écarta les jambes dans un soupir. Quand il la trouva de sa bouche, elle ferma les yeux et s'abandonna à ses lèvres tendres et à sa langue experte. Et, enfin, quand il la quitta juste assez longtemps pour prendre un préservatif dans la table de chevet, elle l'observa sans angoisse, mais avec impatience.

— Tu ne crois pas que tu portes ce jean depuis trop longtemps ?

Son cul avait beau être canon dans le jean usé, elle était prête à parier qu'il serait encore plus sexy sans rien.

Il s'assit sur ses talons et déchira l'emballage du préservatif, sans jamais la quitter des yeux.

— À toi de me le dire.

— Je pense que oui.

Macie s'assit, s'agenouilla et fit doucement, tendrement, descendre sa fermeture Éclair. Son érection surgit, libérée, dureté chaude et velouteuse qu'elle prit dans sa paume. Elle eut l'eau à la bouche. Son clitoris palpitait. Elle caressa son pénis. Ross semblait incapable de la quitter des yeux ; elle aimait cette sensation et l'idée qu'elle avait le pouvoir de le faire frémir, aussi fort et puissant soit-il. Une perle d'humidité tomba dans sa paume comme un joyau liquide. Elle voulait et avait besoin de voir, de toucher, de goûter son corps ; elle attrapa son jean à la taille et le tira vers le bas pour le lui enlever. Ross l'aida. Une fois débarrassé de son pantalon, il se retourna vers elle. Des hanches fines, des cuisses puissantes et des mollets musclés s'accordaient à la magnificence de son érection. Macie retint son souffle. Il était, en un mot, éblouissant.

Elle l'attrapa, ses doigts s'enfonçant dans la chair ferme et lisse de ses fesses alors qu'elle le tirait à elle.

— Professeur, au cas où personne ne vous l'aurait dit auparavant, vous avez un cul fabuleux, dit-elle en oubliant de jouer la « Martha Jane » pour être elle-même.

Ross se mit à rire et enfila le préservatif.

— Vu que je passe mes journées assis dessus, je n'ai pas beaucoup de… retours positifs, mais merci.

Le préservatif mis, il la regarda dans les yeux.

— Doucement mais sûrement, dit-il. Et, au cas où tu te poserais la question, je ferai tout ce que tu veux.

Macie déglutit.

— Tout ?

Elle qui pensait qu'il resterait un conservateur même sous la couette…

— Oui m'dame, confirma-t-il avec un sourire.

Il s'allongea sur le dos, mit un oreiller sous sa tête et attendit. Toujours à genoux, Macie hésita.

— Qu'est-ce que tu fais ?

Il lui sourit, mais la contraction de sa bouche indiquait que cette retenue lui coûtait.

— Je te donne l'occasion d'être une femme moderne.

Macie était déjà excitée, mais la réalité soudaine d'avoir un mètre quatre-vingt-dix d'homme texan à la disposition de son plaisir lui fit presque atteindre son apogée.

— Comme tu voudras, cow-boy.

Elle passa une jambe au-dessus de lui et s'installa hardiment sur son corps. Elle posa une main sur l'oreiller à côté de la tête de Ross, tandis que, de l'autre, elle le faisait pénétrer en elle. Il n'y avait plus aucun doute. Il était énorme. Heureusement, elle était prête. Plus que prête : elle avait hâte. Et elle n'avait plus à attendre.

Le regard plongé dans le sien, elle bougea, le faisant entrer en elle dans un élan exquis, parfait.

— Oh, mon… Dieu !

Jamais elle n'avait été prise ainsi. Elle n'hésita qu'une seconde, puis se mit à se mouvoir, d'avant en arrière, de haut en bas.

Ross ancra fermement ses mains sur ses hanches. Les doigts qui avaient attisé et ranimé son appétit sexuel se posaient désormais délicieusement sur sa peau.

— C'est ça, prends ce qu'il te faut, chérie. Mieux encore : prends ce que tu veux.

Macie accéléra, remuant goulûment contre lui. Elle aurait certainement des courbatures le lendemain, mais demain était un autre jour. Pour l'instant, tout ce qui existait était le moment présent, avec Ross.

La tension monta en elle. Ses tétons pointaient, son clitoris palpitait. Elle avait le front et le dos en sueur. Les muscles de ses cuisses tremblaient de fatigue. Ses bras lui faisaient mal, et ses poings serrés étaient engourdis. C'était une véritable torture… et un pur plaisir.

Elle se retira et le fit pénétrer pleinement en elle. Là, leurs regards se croisèrent, fusionnèrent. C'était la première fois qu'elle faisait l'amour en regardant un homme dans les yeux. Avant, elle avait toujours détourné le regard, se retirant mentalement de l'acte jusqu'à ce que ce soit fini. Mais cela ne l'intéressait plus. Cela ne lui avait jamais plu. Il avait fallu qu'elle soit avec Ross pour comprendre ce qu'elle avait loupé.

Il était « le gros lot », l'incarnation de tous les princes de Disney danseurs et tueurs de dragons en un. Être dans son lit ranima vivement les fantasmes de contes de fées enfiévrés qu'elle avait toujours nourris en secret.

Un grognement rauque échappa à Ross. Il resserra son étreinte sur ses hanches. Il arqua son bassin, la pénétrant plus profondément encore. Un premier spasme la parcourut, la prenant au dépourvu. Le second lui fit serrer les poings, et un élan de plaisir secoua son corps tout entier.

— Ross, je n'ai jamais…

Avant de pouvoir finir sa phrase, Macie frémit contre lui, et ses tremblements déclenchèrent la jouissance de Ross, faisant jaillir sa virilité.

Elle aperçut un feu bleu quand il ouvrit les yeux.

— Oh, mon Dieu, MJ !

Épuisée, elle se laissa retomber contre lui. Il passa ses bras autour d'elle pour l'empêcher de chuter. D'une main, il caressa son dos et ses fesses, comme pour la faire sienne. Macie se détendit contre lui, stupéfaite de constater à quel point leurs corps s'accordaient.

Elle avait l'impression d'être à sa place, ainsi allongée sur lui, son pénis toujours en elle.

Une larme roula sur sa joue. Une larme de joie. Cela faisait dix ans qu'elle attendait d'être libérée de son passé. Grâce à Ross, elle était enfin libre.

Lorsque Ross se réveilla le lendemain matin, il avait la sensation d'être un autre homme. Avec MJ à ses côtés, il avait le sentiment de pouvoir tout conquérir. De pouvoir aider Sam à s'en sortir.

Il la regarda, lovée tout contre lui, et il sut.

J'aime cette femme. Je l'aime.

Il ne voulait pas d'une passade avec elle ni d'une relation où ils ne se verraient que le week-end et une fois par semaine. Il la voulait dans sa vie vingt-quatre heures sur vingt-quatre, sept jours sur sept, pour les vacances et au quotidien, pour le meilleur et pour le pire. Il voulait qu'elle soit son épouse, pour toujours et à jamais.

Il attendrait qu'ils ramènent Sam de l'hôpital, et il lui demanderait de l'épouser. Une fois qu'elle aurait dit oui, ce qui était une certitude après la nuit qu'ils venaient de passer, ils commanderaient des pizzas et fêteraient ça.

Comme une famille.

Ils revinrent avec Sam à la maison à l'heure du déjeuner. Elle insista pour s'asseoir et manger à table, mais elle fut ensuite heureuse de pouvoir se reposer dans sa chambre.

Ross baissa les yeux vers le sandwich qu'il avait à peine touché.

— Je n'ai jamais été bon pour ce genre de choses, mais là, je me sens plus rouillé qu'un vieux clou, marmonna-t-il.

Macie regarda autour d'elle pour s'assurer qu'ils étaient seuls.

— C'est marrant, dit-elle à voix basse, je ne me rappelle pas t'avoir entendu grincer hier soir.

Elle lui sourit et se pencha pour l'embrasser sur le bout du nez.

— Je suis sérieux, chérie. J'ai quelque chose à te dire.

Il recula sa chaise et se leva. Regrettait-il d'avoir couché avec elle ? Elle se figea.

— Que… que veux-tu me dire ?

Elle le vit poser un genou à terre. Elle n'en revenait pas.

— Martha Jane Gray, me ferais-tu l'honneur de devenir ma femme ?

Stupéfaite, Macie le regarda avec de grands yeux.

— Tu me demandes en mariage !

Il lui sourit.

— Je fais de mon mieux.

— Mais Ross, tu ne me connais pas, pas vraiment.

— Chérie, je sais que tu es douce, intelligente, drôle et généreuse. Tu es parfaite, tu es celle que je veux pour femme et pour belle-mère pour Sam. Bon sang, dit-il en prenant sa main, je commençais à douter que des femmes comme toi existent encore !

Macie retenait ses larmes, mais ce n'étaient plus des larmes de joie. Un homme était enfin prêt à s'engager avec elle. Seulement, la femme qu'il voulait épouser n'était pas réelle, ce n'était qu'un personnage inventé de toutes pièces, avec ses rouges à lèvres pâles et sa garde-robe pastel. Elle déglutit ; elle avait l'impression que tous ses mensonges la rattrapaient, s'abattant sur elle comme une toile de laquelle elle ne pouvait s'échapper. Elle était parfaite, celle qu'il voulait pour femme.

Mais tout chez elle n'était que mensonges.

Elle se leva d'un bond ; son corps et son esprit étaient passés en mode survie.

— Tu penses me connaître, mais c'est faux.

Il se releva avec raideur en grimaçant, probablement à cause de sa vieille blessure au genou.

— Mais si, je te connais.

L'autosuffisance de Ross lui donna envie de le frapper.

— Vraiment ? se contenta-t-elle de répliquer. Alors jouons à un petit jeu. Action ou vérité. Tu veux savoir à quel parti je suis inscrite ? Vas-y, pose-moi la question.

Ross la dévisagea.

— Ne me dis pas que tu es…

— Démocrate, si, je le suis. Démocrate libérale, et fière de l'être. Et, pour ton information, de tous ces merveilleux repas faits maison de ces dernières semaines, à part les œufs je n'en ai fait aucun.

Après des semaines passées à dissimuler sa véritable personnalité ou, en tout cas, des parties majeures de sa vie, cela faisait du bien de révéler son vrai visage. Même au risque de le faire fuir, elle ne pouvait plus faire semblant. Pas après la nuit qu'ils avaient passée ensemble.

Ross était bouche bée.

— Alors comment…

— Mon amie Stefanie est à la tête d'un service de traiteur, une entreprise florissante. Il semblerait qu'ici, à Washington, les femmes ont mieux à faire que de trimer dans la cuisine.

Il plissa les yeux.

— Elle fait des ménages, aussi ?

— Non, mais elle m'a mise en relation avec un super service de femmes de ménage.

— Tu as engagé un chauffeur pour conduire Sam ?

— Non, ça, je le faisais moi-même, comme aller chercher tes affaires au pressing, faire ta lessive et aider ta fille à faire ses devoirs ; quelques-unes de la centaine de tâches qui consistent à tenir une maison.

Comme ils avaient élevé la voix, Sam les avait entendus, et elle entra en boitillant dans la cuisine en les regardant tour à tour, avec curiosité.

— Que se passe-t-il ? demanda-t-elle. Pourquoi vous disputez-vous ?

Ross répondit pour eux deux.

— On parlera plus tard. Pour l'instant, retourne dans ta chambre, s'il te plaît.

Macie lui lança un regard noir. Pensait-il vraiment pouvoir enfermer sa fille dans sa chambre quand la vie devenait trop compliquée ?

— Ton père et moi avons seulement une petite discussion, expliqua-t-elle à Sam.

Sam leva les yeux au ciel.

— Une discussion ? À d'autres ! Papa et maman avaient beaucoup de « discussions » comme celle-là quand j'étais enfant.

Ross lui fit les gros yeux.

— Pour ton information, jeune fille, tu es toujours une enfant. Une enfant qui va passer le week-end enfermée si elle ne va pas tout de suite dans sa chambre.

Macie fut secrètement fière que Sam campe sur ses positions et ne bouge pas d'un pouce. La jeune fille s'agrippa à sa béquille et se redressa.

— C'est ça, papa. Vas-y, exclus-moi, comme tu le fais avec tous ceux qui ne voient pas les choses à ta façon.

Un instant, Ross resta figé, sous le choc. Puis il parut se retrouver lui-même.

— Alors reste, dit-il. MJ et moi parlions de tous ces bons repas qu'elle nous a servis et qui étaient en fait préparés par un traiteur, et de la maison si bien entretenue parce qu'elle a engagé des femmes de ménage. Tu en sais quelque chose ?

Sam jeta un coup d'œil en direction de Macie, qui sentit son ventre se nouer.

— Peut-être.

Ross regarda durement sa fille.

— Je t'ai posé une question directe, jeune fille, et j'attends une réponse directe.

Pauvre Sam ! Ross était en train de la cuisiner. Macie dut se retenir de s'élancer vers elle pour la prendre dans ses bras.

— Je n'en étais pas sûre, mais j'avais des doutes, répondit Sam. Elle servait des dîners copieux, mais je ne l'avais jamais vue faire la cuisine de mes propres yeux. Et elle semblait toujours protéger la poubelle. Mais c'est quoi le problème ? Tout était fait comme il fallait.

Ross redressa ses épaules.

— Le problème, c'est que je n'aime pas qu'on me mente.

Il se retourna vers Macie. Elle avait l'impression que son visage était en feu, comme si elle avait passé la journée à la plage à bronzer sans crème solaire.

— Je n'ai pas menti, insista Sam qui rougit à son tour. Je n'ai rien dit. C'est différent.

Les yeux posés sur Macie, il répliqua :

— C'est exactement le genre de relativisme moral que j'attendrais de la part de quelqu'un comme…

— Comme moi ? s'indigna-t-elle.

C'en était trop ! Jusque-là, elle s'était retenue, mais à présent elle n'allait plus se gêner.

— Si tu veux parler de quelqu'un qui ose vouloir plus que d'être au service d'un homme vautré devant la télé avec une bière, alors oui, je suis coupable.

En y réfléchissant bien, elle ne se souvenait pas d'avoir déjà vu Ross boire une bière devant la télé.

À part *Blue Bloods, New York, police judiciaire* et les films en noir et blanc, il disait toujours que les programmes télé étaient sans intérêt, mais là n'était pas la question. C'était son attitude qu'elle désapprouvait, pas une action en particulier.

Frustrée, elle passa une main dans ses cheveux, se décoiffant totalement.

— Sam, ma puce, ton père a raison. Tu ne devrais pas être impliquée là-dedans.

Sam hésita, puis elle hocha la tête.

— D'accord, je comprends. Vous m'enfermez dans ma chambre contre mon gré. Si vous me cherchez, vous savez où me trouver.

Le regard de Ross alla de MJ à sa fille. Décidément, on ne pouvait jamais être sûr de rien en ce qui concernait les femmes.

Il attendit que la porte de Sam se soit refermée derrière elle avant de poursuivre.

— Eh bien, mademoiselle Gray, on dirait que vous avez fait de ma fille une menteuse et que vous m'avez fait passer pour un idiot, mais je suppose que ce sont les aléas du travail, pour une femme comme vous ! Je vous demande pardon, j'aurais dû dire « madame » Gray, par respect pour vos sensibilités féministes.

MJ lui lança un regard assassin.

— Pas des « sensibilités », Ross, des valeurs. Oui, des valeurs. Le problème, c'est que nous ne partageons pas les mêmes.

— Alors pourquoi venir travailler pour moi ?

Elle hésita.

— Parce que… j'avais besoin de… changement, par rapport à New York.

Elle mentait. Cette fois, il en était persuadé.

— Laisse-moi deviner, tu n'avais pas tellement envie de suivre tes missionnaires chrétiens au Belize ?

Elle détourna le regard.

— On pourrait dire ça.

— Ton diplôme de l'Université catholique, c'était du pipeau aussi ?

— Non, j'y suis vraiment allée. Les libéraux peuvent aussi aimer les enfants.

— Tes sentiments pour Sam, ça faisait partie du rôle ?

MJ secoua la tête.

— Bien sûr que non. J'apprécie sincèrement Sam. En réalité, je suis dingue d'elle.

Il croisa les bras.

— Comme tu es dingue de vieux films et de *huevos rancheros* ?

Elle leva le menton.

— J'ai toujours adoré les vieux films. Je n'avais jamais mangé d'œufs épicés avant de te rencontrer, mais maintenant j'adore ça et… j'ai adoré t'en faire hier soir.

Ross avala péniblement sa salive. Elle avait cuisiné avec un tablier noué autour de la taille, et rien d'autre. Mais déjà la veille semblait être un rêve lointain. Non, pas un rêve : un conte de fées. La fin heureuse en moins.

— Cette histoire, que ta sœur t'appelait MJ, c'est vrai, ça, au moins ?

Depuis cette nuit où ils s'étaient embrassés pour la première fois, sur le toit du Kennedy Center, elle avait été MJ pour lui. Il avait l'impression que ce petit surnom était gravé dans son cœur. Si c'était un mensonge, il ne savait pas ce qu'il ferait.

Des larmes apparurent sur les cils de MJ.

— C'est vrai, tout est vrai. Les choses qui comptent réellement sont vraies. C'est moi, véritablement moi.

— Tu es deux, et je n'existe qu'en un seul exemplaire. Alors désolé, Martha Jane, ou MJ, ou quel que soit le nom que tu utilises ces jours-ci, mais il va falloir m'excuser, parce que j'ai du mal à suivre.

Trop en colère et bouleversé pour savoir que croire, il sortit brusquement.

— Où vas-tu ? demanda-t-elle comme si elle avait encore des droits sur lui, comme si ce qu'il faisait ou disait la regardait encore.

Se rendant dans sa chambre pour se changer, il prit tout de même la peine de répondre.

— Là où je vais quand je veux me retenir de faire quelque chose qui me retombera dessus : faire un footing à Rock Creek Park.

Chapitre 10

Frappant le sol battu, Ross courut ses sept kilomètres habituels et continua sur sa lancée. Bon Dieu, et dire qu'il avait sérieusement pensé à épouser une démocrate ! Il devait être bien mauvais juge des personnalités, des femmes, ou peut-être des deux. Dorénavant, il concentrerait toute son énergie sur sa fille. Il ne pouvait pas se permettre de laisser une femme qui avait avoué lui avoir menti depuis le début perturber ses émotions.

Deux heures plus tard, il rentra à l'appartement, trempé de sueur et le genou douloureux. Un silence inquiétant l'accueillit. Quoi, on le snobait ?

Il se dirigea vers la chambre de Sam pour voir si elle allait bien. Elle lui fit gagner du temps en arrivant dans le salon en claudiquant.

— Oh, papa !

Voyant son visage bouleversé et ses yeux remplis de larmes, il se précipita vers elle, trop préoccupé pour se soucier de la boue qu'il mettait certainement sur la moquette beige.

— Sam, ma puce, que s'est-il passé ? Ta jambe te fait mal ? Tu as pris tes médicaments ?

Elle secoua vivement la tête.

— Elle est… partie.

Il lui fallut quelques secondes pour assimiler la nouvelle.

— MJ est partie ?

Même s'il avait prévu de lui demander de s'en aller, son départ anticipé lui fit l'effet d'un coup de poing.

Entre deux sanglots, Sam parvint à lui raconter que MJ avait fait ses bagages après qu'il fut parti et qu'elle avait appelé un taxi pour se rendre à la gare.

C'était une chose de lui briser le cœur, mais briser celui de sa fille était un tout autre problème.

— Cette femme cruelle…

— Non, papa, ce n'était pas comme ça. Elle pleurait beaucoup, plus que moi, et elle n'a pas arrêté de me prendre dans ses bras et de me dire qu'elle ne m'oublierait jamais, que, même si elle ne pouvait pas rester, nous étions amies pour la vie.

Ross quitta sa fille et se précipita dans la chambre de MJ. Le placard était vide, la valise avait disparu. Posé sur la commode, un soulier rouge maintenait un mot. Les jambes tremblantes, il tira la note.

Ross,

Tout à l'heure, tu m'as demandé pourquoi. Crois-moi, aller dans les détails ne servirait à rien, et cela nous ferait du mal à tous. Disons seulement que je ne suis pas celle que tu crois et que c'est mieux pour tout le monde que je m'en aille. S'il te plaît, embrasse Sam pour moi et dis-lui d'oublier ce que je lui ai dit sur les contes de fées. Quand elle n'aura plus son plâtre et qu'elle aura fini sa rééducation, je veux qu'elle mette ces chaussures, qu'elle tape les talons trois fois et qu'elle croie aux fins heureuses chaque fois qu'elle le pourra.

MJ

P.-S. Je ne suis peut-être pas la princesse parfaite que tu imaginais, mais merci de m'avoir aidée à me souvenir de celle que j'ai toujours voulu être.

Macie passa le temps du trajet de retour pour New York à s'entretenir profondément avec elle-même. Au final, elle n'aimait pas ce qu'elle voyait. La recherche perpétuelle de nouvelles histoires sensationnelles l'avait consumée pendant cinq ans. Dorénavant, elle avait l'impression que c'était inutile, et bien triste.

Plus tard, déambulant dans West Village, contemplant l'Empire State Building illuminé de toutes les couleurs au loin, elle se rendit compte qu'avant de rencontrer Ross sa vie était aussi monochrome que sa garde-robe noire. À présent qu'elle avait laissé la lumière et l'amour entrer dans sa vie, elle était incapable de revenir à sa vie passée. Plus important encore, elle n'en avait pas envie. Il était peut-être temps de repenser à son rêve de travailler pour un petit magazine environnemental. Le salaire moindre qui accompagnerait ce changement ne lui permettrait pas de rester à New York, mais quitter la grande ville et ses lumières ne semblait plus si terrible à présent. Les semaines passées l'avaient profondément et durablement changée. Même si cela ne pouvait pas marcher entre Ross et elle, même si son cœur souffrait plus qu'elle n'aurait pu l'imaginer, elle avait pris conscience d'une chose importante.

Il était temps de passer à autre chose.

Ross posa une semaine de congé et préenregistra ses émissions, puis Sam et lui prirent un vol pour le Texas. Les trois heures d'avion jusqu'à Dallas Forth Worth et les deux heures de voiture jusqu'à Paris lui donnèrent du temps pour une introspection poussée.

En premier lieu, pourquoi avait-il passé son diplôme ? La réponse ne mit pas longtemps à venir, mais sa simplicité l'abasourdit.

Je voulais faire la différence.

Il avait engagé son esprit dans la recherche, mais ce qu'il avait adoré en tant que professeur d'université était l'enseignement. Peu à peu, il s'était écarté de cette activité, poussé par la culture universitaire à la publication, puis entraîné par sa célébrité soudaine, qui lui avait fait tourner la tête. Être un animateur nationalement connu lui procurait une immense satisfaction, mais cela l'écartait de la vie réelle. Certes, des centaines de milliers de personnes connaissaient son nom, mais qui le connaissait vraiment ?

Avant que MJ débarque dans sa vie comme une tornade, bousculant toutes ses convictions, il ne connaissait même pas sa propre fille. Il était grand temps qu'il fasse ce qu'il conseillait aux autres de faire : revenir aux bases. Il était grand temps que Ross

Mannon cesse d'être l'arbitre des mœurs des autres et qu'il remette de l'ordre dans sa vie.

Ce soir-là, tandis qu'il aidait Sam à monter les marches du porche de ses parents, il se demanda pourquoi il était parti.

Sa mère, portant son éternel tablier de cuisinière, se précipita pour les accueillir. En faisant attention aux béquilles, elle enlaça Sam contre elle.

— Samantha, tu as tellement grandi ! Comment te sens-tu, ma chérie ?

— Plutôt bien, grand-mère. Le plâtre me gratte.

— On le lui enlève dans cinq semaines, précisa Ross, puis elle entamera la rééducation et portera une attelle pendant un moment. Une fois la fracture guérie, sa jambe sera comme neuve.

Sa mère soupira de soulagement.

— Je remercie le bon Dieu pour cela. Pour l'instant, néanmoins, elle devrait se reposer, ajouta-t-elle en se retournant vers Sam. Je t'ai installée dans la chambre du bas pour que tu n'aies pas à monter l'escalier. Vas-y, je t'apporterai de la tarte dans un moment.

— Merci, grand-mère.

Puis sa mère passa ses bras autour de lui. C'était une brindille de femme, mais elle le serra fort contre elle, comme une maman ours, bien qu'il la dépasse d'une tête. Ross la serra à son tour, inspirant les senteurs de talc et de lilas qu'il avait toujours associées à cet endroit.

Elle laissa retomber ses bras et recula pour l'observer.

— Tu as l'air épuisé, mon fils.

— Le voyage a été long.

Il regarda derrière elle : deux tartes étaient posées sur le rebord de la fenêtre de la cuisine.

— L'une de ces tartes ne serait pas à la pêche, par hasard ?

Elle sourit.

— Elles sont toutes les deux à la pêche, et je pensais que tu le saurais. J'allais justement faire du café. Entre.

Quelques instants plus tard, Ross était installé à table, en face de sa mère, une part de tarte à la pêche et une tasse de café fumant devant lui.

— La meilleure tarte aux pêches du comté de Lamar, dit-il, la bouche pleine.

Sa mère ne démentit pas.

— J'ai encore gagné le premier prix de la foire cette année.

Il suivit son regard vers le mur de la cuisine, couvert de certificats encadrés, tous ornés d'un ruban bleu.

— Ces juges s'y connaissent.

Ross enfouit une nouvelle bouchée de tarte dans sa bouche. Sa mère le regarda faire et secoua la tête.

— Tu me fais penser à quand tu avais seize ans et qu'Amy Johnson a refusé d'être ta cavalière au bal.

Autrefois, Ross aurait trouvé cela difficile à croire, mais être père l'avait profondément changé. Sam s'intéressait peut-être au maquillage et aux soutiens-gorge, mais, chaque fois qu'il la regardait, il voyait encore le beau petit bébé fraîchement arrivé d'Angleterre.

Sa mère remua son café.

— Je connais cette expression, Ross. Elle est synonyme de problèmes sentimentaux.

Le radar maternel était toujours fonctionnel. Ayant perdu l'appétit, Ross reposa sa fourchette.

— Je suis certaine que ce n'est pas Frannie, poursuivit sa mère, parce que tu es passé à autre chose depuis longtemps. Et je ne te vois pas avec une de ces femmes de Washington, non plus. La seule possibilité, c'est cette fille de New York que tu as fait venir pour t'aider à la maison. Rappelle-moi son nom ?

Sa mère avait une mémoire en acier, mais il lui répondit quand même.

— MJ. C'est le diminutif de…

— Martha Jane, finit-elle avec un sourire. Joli nom, même si ça ne fait pas très new-yorkais selon moi.

— Elle n'est peut-être pas originaire de New York, mais, crois-moi, elle est bien plus new-yorkaise qu'autre chose. Elle est incapable de faire la cuisine, ajouta-t-il, par opposition à sa mère qui passait quasiment toute sa vie dans sa cuisine. Il se trouve que les repas faits maison qu'elle nous a soi-disant préparés ces dernières semaines venaient de chez un traiteur.

Il s'était attendu à ce que sa mère soit remontée comme une pendule, mais, à sa grande surprise, elle ne fit que hausser les épaules.

— Les temps ont changé. Je parie que Rachael Ray met à peine un pied dans sa propre cuisine quand elle sort du studio d'enregistrement.

Ross n'en revenait pas. Depuis quand sa mère si conservatrice était-elle devenue… féministe ? Elle haussa un sourcil et lui adressa ce qu'il considérait depuis des années comme « Le Regard ».

— Tu ne t'es jamais dit que, peut-être, ce n'est pas ce qui est sur la table qui importe, mais la personne qui est assise en face de toi ?

Il secoua la tête ; il n'aimait pas la sensation d'étroitesse d'esprit et de superficialité qu'il ressentait soudain.

— J'ai déjà connu ça avec Frannie. Les opposés s'attirent peut-être, mais ils ne sont pas faits pour rester ensemble sur le long terme.

Sa mère poussa un lourd soupir.

— Bon sang, Ross ! Ça n'a pas fonctionné parce que vous n'étiez pas faits l'un pour l'autre, pas parce que sa pâte à tarte était molle. Fils, si cette fille, si cette MJ touche vraiment ton cœur – et à voir ton air abattu, je parierais mon dernier ruban que tu l'as dans la peau –, il me semble que tu te dois à toi-même, et à elle, de découvrir pourquoi.

Comme toujours, sa mère avait vu juste. MJ avait touché son cœur d'une façon qu'il n'aurait jamais imaginée, avait éveillé en lui des sentiments qu'il n'avait jamais ressentis, pour aucune femme.

— Bien, m'dame, j'y réfléchirai, concéda Ross.

Il recula sa chaise, se leva et voulut débarrasser la table, comme sa mère le lui avait appris. Pour la première fois de sa vie, elle chassa sa main d'une petite tape.

— Laisse et va te détendre. Ton père sera bientôt de retour, et Ray va passer un peu plus tard. Tu ferais mieux de prendre le temps de te reposer, parce qu'on dirait bien que Samantha et toi allez avoir du pain sur la planche quand vous rentrerez.

Debout devant les bureaux d'*On Top*, Macie se prépara à y pénétrer. Starr s'attendait à une histoire du tonnerre. Vu qu'elle revenait les mains vides après avoir gâché l'équivalent de plus d'un mois de travail et des milliers de dollars, la moindre des choses était de lui offrir un spectacle du tonnerre. Elle prit une profonde inspiration et ouvrit les doubles portes en verre.

En entrant, elle salua la réceptionniste derrière le bureau d'accueil.

— Bonjour, Darcie. Joli lundi.

— Macie, c'est… toi ?

— En chair et en os.

Elle avait eu droit à la même réaction au passage de la sécurité.

— Tout le monde est dans la salle de conférences ?

L'air toujours aussi déconcertée, la jeune fille hocha la tête.

— La réunion a commencé il y a quelques minutes. Je viens d'y déposer le café et les bagels.

— C'est bon à savoir, merci.

Elle sourit à Darcie et avança dans les locaux. En arrivant devant les parois en verre, elle vit que la réunion battait son plein. Elle ouvrit la porte et entra.

— Bonjour à tous.

Six paires d'yeux se focalisèrent sur elle, dont celles de Terri et du nouveau directeur artistique, Matt Landry.

— C'est gentil de ta part de te joindre à nous, siffla Starr, assise en bout de table. J'imagine donc que tu es de retour et prête à faire ta présentation ?

— En effet, répondit Macie en se glissant sur une chaise.

Un mois auparavant, elle aurait piqué une crise si son café crème n'était pas posé devant elle, mais elle se contenta de prendre un café normal, d'enlever le couvercle et de rajouter de la crème.

Elle écouta d'une oreille la présentation en cours : une idée pour une série d'articles d'opinion écrits chacun par une célébrité new-yorkaise, un « concept choc » selon Starr.

— Maintenant, déclara Starr en se tournant vers Macie, nous allons écouter le rapport de Macie sur l'Opération Cendrillon, compte-rendu de sa couverture chez Mannon. Macie, à toi de jouer.

Macie se prépara pour sa grande révélation. Elle recula sa chaise et se leva.

— J'avais tort.

— Pardon ? s'exclama Starr en se penchant en avant comme si elle n'avait pas bien entendu, attitude imitée par le reste de l'auditoire.

Macie haussa la voix.

— J'avais tort à cent pour cent. Je n'ai rien sur Ross Mannon, et, si je n'ai rien déniché en vivant un mois sous son toit, alors c'est qu'il n'y a rien à trouver. J'ai bien peur que l'Opération Cendrillon ne soit un fiasco.

Des exclamations choquées retentirent autour de la table. Starr était bouche bée.

— Qu'est-ce que...

— C'est la vérité, insista Macie. Je suis consciente que tu en attendais beaucoup, par ma faute, et j'en suis désolée. Mais je ne suis pas désolée au point de faire passer une fiction pour la réalité, de détruire la vie d'un homme et de sa fille seulement pour vendre des magazines. J'avais tort à propos de Ross Mannon. Je me suis lancée dans l'aventure en pensant qu'il devait avoir une maîtresse ou un amant caché quelque part, ou au moins une bizarrerie très embarrassante, mais non. S'il a un vice, poursuivit-elle en baissant les yeux sur sa tasse de café, c'est de boire beaucoup de café.

Starr tapa du poing sur la table, faisant sauter le plateau de pâtisseries et les tasses de café.

— Je t'ai envoyée là-bas pour dénicher des saloperies ! Pratiques sexuelles étranges, addiction à la drogue, détournement de fonds, cruauté envers les animaux, quelque chose, n'importe quoi, et tout ce que tu as à me dire, c'est qu'il boit trop de caféine ?

Macie hocha la tête.

— Ça résume bien la chose.

Elle n'avait pas dormi de la nuit et s'était levée avec la peur au ventre, mais maintenant qu'elle était dans le bain, elle s'amusait follement.

Terri qui avait gardé le silence jusque-là prit la parole.

— Je ne comprends pas comment tu peux le défendre après ce qu'il a dit et fait. Il a tenté de nous faire couler.

Macie se tourna vers sa rédactrice adjointe ; elle voulait lui faire comprendre.

— Écoute. Nous ne sommes pas obligés d'aimer ses opinions politiques, je n'aime pas ses opinions politiques. Mais il est très difficile, voire impossible, de ne pas l'apprécier, lui. Il est aussi clean que son personnage public. D'ailleurs, il n'a pas de personnage ; c'est juste une personne réelle, une personne honnête et honorable, travailleuse et gentille, et un père absolument formidable.

Starr s'esclaffa.

— Tout cela fait chaud au cœur, mais comment veux-tu écrire un article dénonciateur s'il n'y a rien à dénoncer ?

— Je ne veux pas faire d'article. Il n'y a rien à dire, absolument rien.

Sa patronne retira ses lunettes.

— Macie, es-tu… sous l'influence de drogues ?

— Non, je ne suis pas droguée, mais on pourrait dire que je suis sous l'influence de la vérité. Et, à voir vos visages, je vois bien que vous appliquez la tolérance zéro en matière de vérité, raison pour laquelle je démissionne, avec prise d'effet immédiate. Tu auras ma lettre de démission dans ta boîte mail avant midi.

— Pas si vite, répliqua Starr, la mine grave. Qu'en est-il des sommes d'argent que tu nous as coûté ?

Macie haussa les épaules.

— Tu peux les déduire de ma dernière fiche de paie. Si ça ne couvre pas tout, je casserai mon plan d'épargne retraite. Je crois que c'est tout. Oh si, une dernière chose ! Merci pour ces cinq dernières années.

Son regard se posa de nouveau sur Terri qui semblait être au bord des larmes, ce qui lui donna envie de pleurer. Déterminée à aller jusqu'au bout, elle poursuivit.

— J'ai beaucoup appris, et vous allez tous me manquer ; nos vendredis dégustation de vins et nos samedis sushis vont me manquer aussi. C'était une bonne façon de se remonter le moral malgré tous les inconvénients de travailler tard. Ciao.

Elle regarda une dernière fois les visages stupéfaits de ses collaborateurs, puis elle fit demi-tour et sortit.

Il ne lui restait plus qu'à vider son bureau. C'était extraordinaire de voir qu'un bureau aussi grand contenait si peu d'éléments personnels : une photo encadrée de Stevie, une autre de Pam et d'elle à la plage quelques années auparavant, un vase-bouteille de la Grande Dépression qu'elle avait trouvé dans une brocante et une boîte pleine de produits de beauté, dont plusieurs vernis à ongles. Somme toute, elle mit vingt minutes à rassembler ses affaires et elle passa la plupart de son temps à regarder par la fenêtre.

Au moins, j'avais une belle vue.

Elle prit son carton, regarda une dernière fois son bureau, sortit dans le couloir en reculant… et percuta Francesca.

La boîte lui échappa des mains, le contenu se renversant sur le sol. Macie s'agenouilla pour ramasser ses affaires éparpillées. Francesca aussi.

— Je m'en occupe, dit Macie en laissant délibérément tomber ses cheveux sur son visage.

— Ne soyez pas ridicule. Je vous ai bousculée.

Alors qu'elle ramassait les débris du vase cassé, Francesca se figea.

— Ça alors, je savais que je vous avais déjà rencontrée !

Macie ouvrit la bouche pour nier. Mais à quoi bon ?

— Je suis rédactrice ici. Ou du moins je l'étais jusqu'à il y a vingt minutes.

— Ils doivent vous payer au lance-pierre pour que vous soyez obligée de travailler au noir en tant que gouvernante. Que faisiez-vous chez Ross à Washington ? demanda-t-elle en la fusillant du regard.

Maintenant qu'elle n'avait plus aucune raison de se cacher, Macie la regarda droit dans les yeux.

— Ça me regarde.

Elle voulut se relever, mais Francesca l'attrapa par le bras.

— Je vous préviens : si vous faites du mal à Samantha ou à Ross, vous aurez affaire à moi, et je peux être une vraie garce.

Macie la repoussa, ramassa sa boîte et se releva.

— Ne vous inquiétez pas. Vous aurez peut-être du mal à me croire, et je ne vous en voudrai pas, mais je les aime tous les deux de tout mon cœur.

Francesca se releva à son tour.

— Pourquoi devrais-je en croire un traître mot ?

Serrant la boîte contre elle, Macie marqua une pause pour réfléchir.

— Ross et Sam m'ont réappris à croire à l'amour, aux contes de fées et aux fins heureuses. Je leur suis redevable pour ça, et pour bien d'autres choses.

Elle fourra la boîte sous son bras et s'éloigna en direction de la réception, laissant l'ex-femme de Ross derrière elle. En atteignant la sortie, elle se rendit compte que c'était vrai. Elle croyait à l'amour, aux contes de fées et aux fins heureuses.

Mais pas pour elle.

Résistant à l'attrait de l'augmentation de salaire significative destinée à le pousser à renouveler son contrat, Ross fit savoir que l'émission de vendredi serait sa dernière. Au lieu du *Coup de Gueule de Ross*, il prit le temps de remercier ses partenaires et ses auditeurs.

— Je ne pars pas pour passer à quelque chose de plus grand et de plus beau, comme certains pourraient le penser, mais pour devenir l'un de vous et développer une meilleure capacité d'écoute. Le temps que j'y arrive, je rends l'antenne et ferme mon site Internet, pour l'instant du moins.

Après cela, se sentant étrangement paisible, il vida son bureau et fit fonctionner sa déchiqueteuse… : une action cathartique.

— Tu vas nous manquer, Ross.

Ross releva la tête. Le directeur de la station se tenait dans l'encadrement de la porte.

— Salut, David. Je ne t'avais pas vu. Entre.

— Tu es sûr de ne pas vouloir revenir sur ta décision ? demanda David en tirant sur sa moustache en forme de guidon. Je sais que les gros bonnets aimeraient que tu restes dans le coin.

Ross secoua la tête.

— C'est gratifiant de se sentir utile, mais j'ai fait mon temps. Il est temps que je retourne dans les salles de classe.

Il finit par remarquer le cylindre roulé sous le bras de David. Celui-ci, suivant son regard, déroula le magazine. Pas n'importe quel magazine : *On Top*.

— Ah oui, j'avais presque oublié ! Le service juridique a pensé que tu voudrais peut-être le récupérer. Je suppose que ce n'est qu'un souvenir maintenant, hein ?

Il le lui tendit.

— Oui, je suppose, dit Ross en prenant le journal.

Il l'avait confié au service juridique le jour où le blog avait publié l'article révélant sa navigation sur Internet. Étrangement, il avait l'impression que l'incident avait eu lieu des années auparavant.

David s'écarta du bureau sur lequel il s'était appuyé.

— Bon, je ferais mieux de rentrer. La circulation sur Fredericksburg ne s'arrange pas tant que je suis là. Prends soin de toi, Ross.

— Merci. Toi aussi, David.

Ross attendit que David soit parti. Détruire le magazine n'était pas nécessaire, mais cela lui ferait un bien fou. Il déchira la couverture et laissa la déchiqueteuse faire son travail. Oui, cela faisait du bien. Il déchira d'autres pages. Le mot de l'éditeur, « Rencontrez ceux qui gardent *On Top* au top », attira son œil. Curieux de savoir qui pouvait y travailler, il parcourut les biographies des principaux employés éditoriaux. La photographie d'une des rédactrices, Macie J. Graham, attira son attention. Ce n'était pas son type, mais c'était tout de même une belle femme, ou ce serait une belle femme si elle laissait tomber son look gothique et optait pour une coupe de cheveux plus décente, des vêtements moins sombres et un maquillage plus doux. Avec son teint de porcelaine, ses pommettes hautes et sa bouche pulpeuse, elle aurait pu passer pour le double maléfique de MJ. Le cœur battant, il tendit le magazine devant lui, les yeux rivés sur la photo. Macie J. Graham. Martha Jane Gray. MJ ? Ce ne devait être qu'une étrange coïncidence, et pourtant…

Une voix intérieure lui souffla qu'il serait bien plus heureux s'il laissait couler, mais ce n'était pas son genre. Il avait besoin de savoir. Il fit pivoter sa chaise et posa ses doigts sur son clavier d'ordinateur. Il tapa maladroitement l'adresse Web du magazine dans son navigateur. En quelques secondes, la page d'accueil d'*On Top* apparut sur son écran, étalage de lettres rouges et noires, avec son logo reconnaissable entre tous. Descendant jusqu'à la section « Contact », il trouva le mail de Macie Graham dans la liste et lui écrivit un mot rapide. Moins d'une minute plus tard, il reçut une réponse automatique : « Je ne serai pas au bureau pour une période prolongée et ne pourrai répondre à votre message. Pour toute urgence, vous pouvez contacter Terri Green au… »

Ross dut faire appel à tout son sang-froid pour ne pas envoyer valser son ordinateur. Sa soi-disant gouvernante l'avait fait passer pour un idiot, et il avait été trop occupé à tomber amoureux d'elle pour s'en rendre compte. Pire encore, elle avait eu l'intention de le détruire. Ce devait être elle qui avait révélé les exploits de Sam sur Internet. Il passa une main dans ses cheveux. Qu'avait-elle sur lui ? Avant qu'elle entre dans sa vie, il menait une existence monacale, et, même au Texas, sa vie sentimentale sporadique avait été tout ce qu'il y avait de plus normal.

Pourtant, alors même qu'il en avait la preuve sous les yeux, il était incapable de faire le rapprochement entre la garce sanguinaire qui avait visiblement tout fait pour dénicher une histoire juteuse et la femme douce et attentionnée qui avait fait du chocolat chaud à sa fille quand elle n'arrivait pas à dormir, l'avait apaisé, lui, après une dure journée de travail et s'était occupée du projet de sciences sociales de Sam comme si c'était sa priorité numéro un.

Bon Dieu ! Sam ! Ce devait être cela, l'info qu'elle avait dénichée sur lui. En aidant Sam à faire son arbre généalogique, elle avait découvert que sa fille était née hors mariage. Il se fichait de sa propre réputation, mais il la trouverait et lui briserait le cou si elle écrivait un seul mot qui blesserait son bébé.

Mais d'abord il fallait la retrouver...

Macie était vautrée sur le canapé de son appartement quand Franc utilisa sa clé pour entrer. Elle sursauta, surprise de le voir.

— Je pensais que c'était Terri qui avait oublié quelque chose, dit-elle en voyant son air interrogateur.

Son ancienne rédactrice adjointe, et ex-amie, s'était apparemment réconciliée avec sa colocataire ; c'était du moins ce qu'elle lui avait dit. Car, à voir sa façon d'éviter son regard tandis qu'elle vidait son bureau, son départ rapide devait plutôt s'expliquer par son nouveau statut de persona non grata.

Stevie étendu sur elle, elle se remit à regarder *The Voice*, sans le son.

Franc referma la porte derrière lui et avança vers la petite table.

— Chérie, on dirait une déterrée. Dis quelque chose.

Elle quitta la télé des yeux.

— J'ai démissionné et je quitte New York.

Il mit un poing serré devant sa bouche grande ouverte.

— Bon Dieu, ne dis plus rien ! énonça-t-il en se laissant tomber à côté d'elle. Il y a un nouveau bar à absinthe dans le Lower East Side. Et si nous allions tenir compagnie à la fée verte pour que tu racontes tout à oncle Franc ?

Elle secoua la tête.

— Merci, mais je n'ose pas infliger ma présence aux autres pour l'instant.

Il se décomposa.

— C'est les chaussures, c'est ça ? La légende de Maddie est devenue une malédiction. C'est ma faute. Enfin, la mienne et celle de Nathan. En fait, c'est surtout celle de Nathan. C'est lui qui m'a tiré à cette collecte de fonds.

Elle n'avait pas le cœur d'admettre qu'elle avait offert les chaussures à une ado de quinze ans. Ces souliers avaient beau être magnifiques, Macie ne pouvait plus les dissocier de Ross et de la nuit magique qu'ils avaient partagée sur le toit du Kennedy Center. Elle ne pouvait imaginer les porter pour un autre.

Franc se releva en soupirant.

— Je nous sers du vin.

Macie n'avait pas envie de boire ni d'avoir de la compagnie, mais en le voyant se diriger vers la petite cuisine elle n'eut pas la force de protester. Depuis qu'elle avait démissionné, la veille, elle semblait incapable de se lever du canapé. Elle entendit les placards s'ouvrir, le bruit du vin qu'on débouche, puis le « glouglou » du liquide que l'on verse.

Franc revint avec deux verres pleins de pinot noir.

— Soûle-toi, ordonna-t-il en lui en tendant un.

Elle poussa Stevie, s'assit et prit le verre.

— Merci.

— Bon, dit-il en s'asseyant à côté d'elle, alors en gros tu es amoureuse de Mannon, et selon toute vraisemblance il est amoureux de toi, mais ton grand secret vous empêche d'être ensemble, c'est bien ça ?

— Oui, en gros, c'est ça.

Cela semblait si simple dit ainsi, alors que c'était loin d'être le cas.

Il s'adossa au canapé.

— Et que comptes-tu faire ?

Elle haussa les épaules.

— Rien.

— Rien ?! s'écria-t-il en se redressant. Tu veux dire que tu vas juste le laisser partir ?

— Grosso modo, oui.

— Tu es folle ?

Macie posa son verre sur la petite table.

— Folle cinglée ou folle d'amour, la nuance est faible.

Ross avait peut-être abandonné tout espoir de conte de fées en ce qui le concernait, mais il refusait de transmettre son cynisme à Sam. En même temps, il avait pour devoir de la préparer au pire, y compris à la possibilité de voir bientôt son nom dans les journaux. Sur le trajet de la radio jusque chez lui, il s'était creusé la cervelle pour trouver le meilleur moyen de gérer les choses avec elle, mais ce ne fut que lorsqu'il se gara sur sa place réservée que la réponse le frappa.

Il devait lui dire la vérité.

Il n'était pas pressé de révéler son hypocrisie à sa fille, mais il savait également qu'il valait mieux qu'elle entende la vérité sur les circonstances de sa naissance de sa bouche plutôt que dans les pages d'un magazine. *C'est le moment de vérité, Mannon. Ne te rate pas.*

Il frappa à la porte de la chambre de Sam.

— Il faut qu'on ait une réunion de famille. D'accord ?

— Juste tous les deux ?

Elle regarda dans le couloir derrière lui, et il n'eut pas besoin de lui demander qui elle cherchait.

— Oui, juste toi et moi.

Six semaines auparavant, cela aurait semblé largement suffisant, mais à présent il ne pouvait se débarrasser de la sensation qu'il manquait quelqu'un.

Claudiquant jusque dans le salon, elle demanda :

— Qu'est-ce que j'ai encore fait ?

En réponse, il l'enlaça.

— Tu n'as rien fait, ma puce. C'est à propos de quelque chose que j'ai fait, moi. Et il est grand temps que je te dise la vérité.

Ils s'assirent sur le sofa. Ross s'éclaircit la voix et se lança.

— Tu sais que ta mère et moi étions au lycée quand nous nous sommes rencontrés pour la première fois.

Ross était fier de son parler franc, mais, face aux grands yeux de sa fille, avouer qu'il avait fait l'amour avec sa mère hors mariage semblait soudain beaucoup plus difficile qu'il ne l'avait imaginé. Son père lui avait parlé des choses de la vie, série de demi-phrases hésitantes et de drôles de gestes qu'il avait assimilés en même temps que sa première bière, sanctionnée par ses parents. Ray était aussi intervenu, lui offrant la copie pirate d'un célèbre film pornographique, mais la cassette était si usée que les images sautaient comme une relique de l'époque des films muets. Il ressentit soudain un élan de compassion pour sa famille et une humilité profonde quant à son inaptitude présente et à ses erreurs passées.

— Papa, ce n'est pas grave. Je sais.

— Tu sais, balbutia-t-il, pris de court. Qu'est-ce que tu sais, exactement ?

— Je sais que je suis née avant que maman et toi soyez mariés. Je le sais depuis un moment, et ça ne me dérange pas. Je me suis dit que tu m'en parlerais un jour, quand tu serais prêt.

Il recula et observa cette incroyable créature qu'il avait en partie créée, et vit plus une femme qu'une petite fille.

— Tu es une gamine intelligente, tu le sais ? Tu es plus intelligente que beaucoup d'adultes.

Ils se sourirent mutuellement. Puis, soudain, Sam prit un air plus sérieux.

— Papa…, moi aussi, j'ai besoin de te dire quelque chose.

Ce matin-là, il avait juré de prendre le temps d'écouter les autres, et apparemment Dieu le mettait déjà à l'épreuve.

— D'accord, ma puce, je t'écoute.

— C'est par rapport à ma fugue, de ce qui s'est passé à New York.

La gorge serrée, il l'écouta en silence raconter qu'un de ses professeurs lui avait fait des avances. Puisque rester à la maison n'était pas une option, même si elle avait fait semblant à plusieurs reprises d'être malade, elle avait pensé qu'il était préférable de quitter la ville avant que les choses empirent.

L'expérience de Macie en tête, Ross se prépara mentalement.

— Ce professeur, il t'a touchée ou blessée de quelque façon que ce soit ?

Elle secoua la tête.

— C'était surtout ce qu'il disait qui me mettait mal à l'aise. Il m'a dit que j'étais jolie et que je faisais partie de ses meilleurs élèves, et il n'arrêtait pas d'essayer de me faire venir dans son bureau en dehors des cours pour ce qu'il appelait un « enrichissement extrascolaire », mais je trouvais des excuses pour ne pas y aller. Puis il m'a donné une mauvaise note à un contrôle que j'étais certaine d'avoir réussi, et je n'arrêtais pas de penser qu'il fallait que je garde une bonne moyenne pour aller à l'université, et je suis devenue très stressée, et j'étais en colère. C'était si injuste, et j'ai...

— Tu as volé le bracelet.

Elle hocha la tête.

— Je sais que c'est stupide et je ne le referai jamais, mais, quand maman m'a punie à cause de ma mauvaise note, je me suis dit que si être gentille m'attirait des ennuis, alors je devrais peut-être essayer d'être méchante pour voir si ça marchait dans l'autre sens.

Elle se tut, et Ross la serra contre lui.

— Me dire tout ça demandait beaucoup de courage, et je suis très fier de toi. J'aurais seulement aimé que tu le racontes à ta mère ou à moi plus tôt, pour que nous puissions arranger les choses avant que ça tourne mal.

Comme mieux valait tard que jamais, il avait bien l'intention de s'assurer que ce salaud ne remette jamais les pieds dans une salle de classe.

Pour l'instant, il devait être simplement reconnaissant. Sam l'accueillait de nouveau dans sa vie, alors qu'il n'aurait jamais dû en sortir.

— Je n'ai pas été le meilleur des pères, Sam. Je n'ai pas toujours été là pour toi quand tu avais besoin de moi, mais cela va changer dès aujourd'hui. Et plus de secrets. Marché conclu ?

Il lui tendit la main, comme il le faisait quand elle était petite. Elle la serra avec un grand sourire aux lèvres.

— Marché conclu.

Alors qu'ils se tenaient la main, il prit conscience qu'il avait encore des choses à lui expliquer, qu'il devait lui dire que MJ, Macie, n'était pas celle qu'ils pensaient. Et qu'elle ne reviendrait pas.

Cependant, avant qu'il puisse ouvrir la bouche, le téléphone fixe sonna. Sam attrapa sa béquille et se leva pour répondre.

— Laisse, ma puce, lui dit Ross. Qui que ce soit, il peut laisser un message.

Une main sur le combiné, Sam secoua la tête.

— C'est maman. Salut, maman !

Merde, Francesca ! Ross avait l'impression que son cerveau allait exploser. Il secoua la tête.

— Dis-lui que je la rappellerai plus tard.

Sam lui tendit le téléphone sans fil.

— Elle dit qu'elle a besoin de te parler maintenant. Que c'est important…., presque une urgence.

— Samantha, ta mère n'a aucun sens des priorités et de ce qu'est une urgence.

— Papa, elle a vraiment l'air contrariée. Elle dit que tu ferais mieux de ramener ton… euh… ton cul au téléphone, et tout de suite.

— Francesca, pesta Ross en prenant le combiné, ça a intérêt à être sérieux. On est au beau milieu d'une conversation importante là, dont je te ferai part dès que possible, et je ne peux pas te parler tout de suite.

— Splendide, comme ça tu pourras écouter pour une fois.

Il passa une main sur ses yeux, fatigué.

— D'accord, qu'y a-t-il de si important que ça ne puisse pas attendre ?

— MJ, ta MJ, est rédactrice chez *On Top*. Ou du moins elle l'était.

— Elle n'est plus rien pour moi, répliqua Ross, mais oui, je sais. Son vrai nom est Macie Graham. Je l'ai découvert il y a quelques heures. Qu'est-ce que tu veux dire par « était » ?

— Elle a démissionné ce matin.

Il ne s'était pas attendu à cela.

— J'imagine que maintenant qu'elle a écrit son article diffamatoire sur moi, elle peut faire ce qu'elle veut. Où va-t-elle ? Au *New York Times* ?

— Oh, Ross, ce que tu peux être con parfois ! Il n'y a pas d'article sur toi, diffamatoire ou pas, et grâce à Macie il n'y en aura pas.

Cela retint son attention.

— Quoi ?

— Ce matin, elle s'est pointée en réunion pour dire à sa directrice de rédaction qu'elle n'avait pas d'histoire, que tu étais aussi clean et franc que tu le semblais et qu'elle avait perdu son temps et l'argent du magazine en allant enquêter sous couverture sur une histoire qui n'existait pas. Puis elle a annoncé sa démission et est allée vider son bureau.

MJ avait quitté son travail à cause… de lui ?

— Pourquoi, après avoir travaillé pour moi pendant plus d'un mois, déciderait-elle de ficher le camp maintenant ?

Francesca soupira.

— J'aurais espéré que ce serait l'une des rares occasions où la vérité pénètre ton crâne dur de Texan, mais je suppose que je vais devoir t'expliquer. Elle t'aime, idiot.

— Elle m'aime ?

— Oui, elle t'aime, répéta-t-elle (Ross devina au son de sa voix qu'elle souriait.) Tu ne comprends pas, Ross ? Macie n'est pas rentrée à New York pour causer ta perte. Elle est rentrée pour te sauver.

Ross mit fin à l'appel ; il était sonné. Sam se précipita vers lui.

— Qu'est-ce qu'elle a dit ?

Il hésita. Le cerveau à l'intérieur de son « crâne dur de Texan » était encore en train d'assimiler la nouvelle. MJ, Macie, avait démissionné ; elle avait sacrifié sa carrière pour les sauver, Sam et lui, du scandale.

— Papa, tu vas me répondre ou pas ?

Croisant le regard déterminé de sa fille, Ross se posa exactement la même question. C'était beaucoup d'informations à digérer pour une enfant. Mince, c'était beaucoup d'informations à digérer pour lui ! Avant leur nouvelle règle d'honnêteté, il aurait tenté de la protéger, mais, en la regardant à présent, il savait qu'il ne pourrait plus la repousser. Macie les avait touchés en plein cœur, tous les deux. Il devait la vérité à Sam.

— Maman voulait me dire… nous dire que MJ a démissionné du magazine new-yorkais où elle travaille – travaillait.

Sam poussa un cri de joie.

— Alors, quand est-ce qu'elle revient ? Elle revient, hein ?

Ross pensait qu'il ne pouvait pas se sentir plus mal, mais, en voyant le bonheur et l'espoir inonder le visage de Sam, il sut qu'il avait touché le fond.

— Non, ma puce, elle ne revient pas.

— Tu lui as demandé de revenir ?

Il passa une main dans ses cheveux.

— Sam, je ne peux pas, pas après tous ses mensonges. Elle n'est pas venue ici pour être notre gouvernante. Elle est venue pour écrire un article sur moi dans un magazine.

— À cause de tout ce que tu as dit ?

— Eh bien, oui ! admit-il.

C'était la première fois qu'il reconnaissait le rôle qu'il avait joué dans cette histoire. Pensait-il vraiment pouvoir pousser ses coups de gueule sans qu'il y ait de représailles ?

— Le problème, c'est que, même si elle a fait ce qu'il fallait en étouffant l'affaire, elle nous a menti, et ce n'est pas une bonne base pour une relation.

— Mais maman et toi m'avez menti sur votre mariage. En tout cas, vous m'avez volontairement caché la vérité, ce qui est plus ou moins la même chose qu'un mensonge, mais ce n'est pas pour ça que je vais vous en vouloir toute ma vie.

Acculé, Ross hésita.

— C'est... différent. Ce n'est pas du tout la même chose.

Mais Sam ne se laissa pas faire.

— Vraiment ? répliqua-t-elle en croisant les bras, les yeux rivés sur lui. Tu sais ce que je pense ?

Pas encore, mais il était prêt à parier qu'il n'aurait pas à attendre longtemps. Elle avait le menton relevé, signe infaillible qu'elle n'hésiterait pas à parler en toute franchise. Elle le regarda droit dans les yeux et déclara :

— Tu es un lâche.

Que sa fille voie clair dans son jeu était déjà désagréable. Qu'elle le traite de lâche…, eh bien, il était sous le choc !

— Attention, jeune fille. Tu n'es pas trop vieille pour que je t'envoie dans ta chambre, sans parler du fait que je peux t'interdire l'accès à Internet quand je veux.

Mais Sam ne céda pas. Elle avait beau aimer Facebook, Twitter et Pinterest, et parler en ligne avec ses amis, il semblait qu'elle aimait MJ davantage.

— Tu vois, c'est exactement ce que je veux dire. Dès que quelqu'un dit quelque chose qui te déplaît, tu trouves le moyen de le faire taire ou de le faire fuir.

— Sam, écoute. Je sais que tu es une enfant intelligente, pardon, une jeune femme intelligente, mais il y a encore beaucoup de choses que tu ne comprends pas dans les relations adultes. Et ce n'est pas grave, parce que tu as de nombreuses années devant toi pour faire des erreurs et apprendre de tes erreurs. Mais certains d'entre nous ont déjà fait des tas d'erreurs, moi y compris. À partir de maintenant, je dois faire les choses bien, tu comprends ?

— Mais MJ et toi vous vous aimez, je le sais. J'ai vu ta façon de la regarder quand tu penses que personne ne te voit. Tu as l'air émerveillé, avec ce sourire stupide.

— Sam, écoute. Parfois, on peut aimer quelqu'un, mais ça ne veut pas dire qu'on peut vivre avec.

— Tu veux dire comme maman et toi ?

— Oui, répondit-il après un instant d'hésitation. Comme maman et moi.

Croisant les bras comme si elle était le parent et non l'enfant, Sam poursuivit son raisonnement.

— Donc, si je comprends bien, passer le reste de ta vie avec quelqu'un que tu aimes vraiment et qui t'aime vraiment en retour n'est pas aussi important que d'avoir raison à propos d'un principe stupide ? Eh beh, je sais que je ne suis qu'une enfant, mais ça me paraît complètement débile.

— Dit comme ça, je suppose que ça l'est, répondit-il.

Il croisa le regard de sa fille, si déterminé et si sage. Aurait-elle raison ? Jusqu'à ce jour, il avait vécu sa vie en exigeant la perfection de la part des autres tout en étant incapable de l'atteindre dans sa propre vie. C'est vrai que c'était plutôt « débile ». Peut-être était-il temps qu'il se mette à traiter les autres comme il voulait qu'on le traite : avec honnêteté et compassion, avec pardon et, oui, avec amour. Et avec qui repartir de zéro, sinon MJ ?

— Je peux peut-être trouver un vol pour New York ce soir. Laisse-moi appeler Mme Alvarez pour voir si elle peut venir passer la nuit ici.

— Papa ! Je ne suis pas un bébé.

Il marqua une pause pour l'embrasser sur le sommet de la tête.

— Tu es mon petit bébé, et tu le seras toujours.

Ross déverrouilla son téléphone. Heureusement, il avait plusieurs compagnies aériennes en favoris dans son navigateur. Il y avait un vol pour New York en partance de l'aéroport national Reagan à 19 h 05. Cela lui laissait deux heures pour y aller.

Il secoua la tête.

— On est à l'heure de pointe. Il faudrait que la voiture ait des ailes pour arriver à l'aéroport à l'heure. J'irai plus vite à pied, plaisanta-t-il.

Sam posa une main réconfortante sur son épaule.

— Ne t'inquiète pas, papa. Tu cours vite.

Chapitre 11

Quartier d'East Village, Manhattan

— Laisse-moi entrer, bon sang ! Je veux te parler. J'ai besoin de te parler.

Après avoir laissé Ross entrer dans l'immeuble, Macie avait perdu tout courage et n'osait pas le laisser entrer chez elle. Tremblante, elle inspira et lui dit, à travers la porte fermée :

— Eh bien…, parle !

— J'ai besoin de te voir face à face. Laisse-moi entrer, s'il te plaît.

Il ne répéta pas sa demande. Le silence dura, brisé seulement par les battements de son cœur. Macie comprenait que ce n'était pas seulement la porte de son appartement que Ross lui demandait d'ouvrir pour lui. Mais aussi son cœur.

Elle déverrouilla la porte, puis enroula sa main moite autour de la poignée. Elle la tourna, le cuivre glissant sous sa paume.

La porte s'ouvrit. Ross se tenait dans le couloir. Avec sa veste marron chiffonnée et sa chemise débraillée, il était évident qu'il était venu en toute hâte. Un petit sac de voyage pendait sur l'une de ses larges épaules, et, dans la main gauche, il tenait un sac marron plein de graisse : le menu thaï qu'elle avait commandé.

Il l'observa, de la serviette nouée autour de sa tête aux chaussons léopard à ses pieds.

— Tenue intéressante.

Elle croisa les bras, faible tentative destinée à se protéger.

— Le livreur est arrivé après que tu m'as fait entrer. Je préfère les pizzas, mais je veux bien essayer le thaï. Tu me laisses entrer ou on mange dans le couloir ?

Le visage en feu, elle recula pour le laisser passer.

Il entra, regarda autour de lui, non pas qu'il y ait grand-chose à voir : quelques cartons disposés en deux tours, son matelas gonflable, la litière de Stevie et ses bols de nourriture. À part cela, la pièce était vide.

— Joli appartement. La déco est un peu minimaliste à mon goût, mais bon, je suppose que les napperons en dentelle et les rideaux à fleurs ne sont pas ton genre.

— En effet.

Il porta la nourriture dans la cuisine en contournant les cartons, et Macie le suivit.

Il posa le sac sur le plan de travail et son bagage sur le linoléum, puis se tourna vers elle.

— J'ai entendu dire que tu avais démissionné. Moi aussi. Je ne savais pas que cela voulait aussi dire que tu quittais la ville.

Elle ouvrit la bouche pour dire : « Ton ex ne perd pas de temps », puis elle comprit soudain ce qu'il venait de dire.

— Tu arrêtes ton émission ? Pourquoi ?

Il haussa les épaules.

— Être Ross Mannon, ce n'est plus tellement amusant. À la base, j'ai étudié la sociologie parce que je m'intéressais aux relations sociales, à la façon dont les gens forment des groupes et travaillent à les faire fonctionner. Sans m'en rendre compte, je me suis perdu en chemin et je me suis mis à dire aux autres quoi penser, comment se comporter. Je suis fatigué de m'écouter parler, point. À partir de maintenant, je vais me concentrer sur mes capacités d'écoute et laisser quelqu'un d'autre parler. C'est valable pour ma vie personnelle, aussi.

Il s'approcha.

— À ton tour.

Retenant ses larmes, Macie répondit :

— Je rentre dans l'Indiana pour passer du temps avec ma sœur et mes parents, et, pendant que je serai là-bas, je vais envoyer des CV à des groupes environnementaux qui cherchent des rédacteurs. Travailler pour un organisme à but non lucratif ne me mettra pas autant sur le devant de la scène et ne sera pas aussi rémunérateur qu'être rédactrice dans un magazine clinquant comme *On Top*, mais j'espère que cela aura beaucoup plus de sens.

Ross n'avait pas encore fait d'approche pour la toucher, mais son regard pénétrant était tout aussi puissant qu'un contact physique, voire davantage.

— On dirait que nous avons tous les deux procédé à un examen de conscience.

Il hésita ensuite, comme s'il rassemblait son courage, ce qui était insensé puisqu'il était certainement l'homme le plus courageux qu'elle connaisse.

— Tout à l'heure, j'ai eu une conversation à cœur ouvert avec ma fille, qui a quinze ans mais va apparemment bientôt en avoir trente-cinq. Je commence à comprendre que si j'exige une franchise totale de la part des autres, je ferais mieux de commencer par moi-même. Cela te dérange si je commence avec toi ?

— N… non.

— J'ai un problème, et j'espère que tu pourras m'aider. Je suis fou amoureux de toi et je ne sais pas vraiment quoi faire à ce propos. Tu as des idées ?

Elle ressentit un élan d'adrénaline, qui délassa soudain ses membres et l'emplit d'espoir. Pourtant, il y avait toujours les mêmes obstacles. La femme que Ross aimait avait peut-être son visage, mais Martha Jane Gray, alias MJ, et Macie Graham étaient deux personnes incontestablement différentes.

Elle secoua la tête.

— Oh, Ross, je t'en prie, non ! Cela ne marchera jamais. Nous sommes trop différents. Je suis trop… bizarre.

La serviette glissa de sa tête, faisant tomber ses cheveux mouillés sur ses épaules. Ross tendit la main, saisit une mèche et la fit glisser entre ses doigts.

— Je t'aime, mon amour. Je t'aime, et cela m'est égal si tu veux que je t'appelle Martha Jane ou Macie ou MJ. Tu peux te colorer les cheveux de toutes les couleurs que tu veux, porter du noir tous les jours de la semaine. Cela n'aura aucune importance parce que je t'aime. En ce qui concerne ta « bizarrerie », ma fille dit que je suis « débile », alors j'imagine que nous formons le couple parfait.

Un autre homme lui aurait arraché son peignoir et se serait jeté sur elle. Mais c'était Ross. L'exaspérant, le vieux jeu, le séduisant Ross. Qui prit ses mains entre les siennes.

— Tu m'as manqué.

Submergée par une vague de tendresse, elle admit à son tour :

— Tu m'as manqué aussi.

Il l'embrassa sur le poignet, puis remonta doucement au creux de son coude. Elle fut parcourue de frissons. Dans ses chaussons, ses orteils se recroquevillèrent de plaisir.

Elle caressa sa joue du bout des doigts.

— Tu ferais mieux de m'emmener au lit avant que l'un de nous se dégonfle.

Sa main tenant toujours la sienne, il leva les yeux vers elle.

— Vous ne pensez qu'aux affaires, vous autres féministes, n'est-ce pas ? la taquina-t-il en souriant. Désolé, madame Steinem, mais, cette fois-ci, nous ferons les choses à ma manière, à l'ancienne. Je veux passer le reste de ma vie avec toi. Je veux qu'on se marie.

Après tout cela, il voulait encore l'épouser ? Elle était sous le choc. Elle tenta de dissimuler sa surprise derrière une certaine désinvolture.

— Pourquoi ? Tu es enceinte ?

Il grimaça.

— Ne fais pas la maligne. Quand un homme te demande de l'épouser, il n'y a que deux réponses : oui ou non. Et je n'accepterai aucun refus.

Elle passa une main dans ses cheveux emmêlés. Elle était une épave, intérieurement et extérieurement.

— Mais Ross, je ne sais pas faire la cuisine. C'est à peine si je sais utiliser un micro-ondes.

— Parfait. Je commençais à prendre du poids.

— Et je suis piètre ménagère. Une vraie souillon.

— J'engagerai une femme de ménage. J'ai entendu dire qu'on pouvait en trouver des très bien pour pas cher.

— Ross, je ne sais pas. Je ne suis pas sûre que nous…

— Arrête, respire et réponds à une question.

Il marqua une pause.

— Tu m'aimes ?

Elle avait la gorge serrée.

— Tu sais bien que oui.

— Et je t'aime, ce qui veut dire que nous sommes en phase.

Il se pencha pour ouvrir son sac. Il fouilla à l'intérieur et en sortit une boîte : la boîte contenant les souliers rouges. Il souleva le couvercle et sortit l'une des chaussures.

— Je l'ai fait réparer.

Il s'agenouilla et lui fit signe de lui donner son pied. Macie hésita, puis tendit la jambe.

— Nous pouvons aller chez *Tiffany* demain et choisir la bague ensemble, mais pour l'instant cela scellera notre pacte.

Il retira son chausson à imprimé léopard et le remplaça par la chaussure ancienne.

Il leva les yeux vers elle, et son regard croisa le sien.

— Tu dois admettre que « Macie Mannon », ça sonne bien.

Remuant le pied portant la chaussure rouge, Macie secoua la tête. Il était absolument exaspérant, absolument parfait pour elle. Elle était persuadée qu'ils avaient des années de disputes devant eux. Elle avait hâte de commencer.

— Disons plutôt Macie Graham-Mannon, et c'est marché conclu.

— Et moi qui voulais te faire faire des serviettes avec un monogramme.

Ross secoua la tête, mais ses yeux scintillaient comme les cristaux ornant les souliers rouges.

— La vie ne va pas être ennuyeuse avec toi, ajouta-t-il.

Ce fut à Macie de sourire.

— Tout juste, professeur. Je compte bien te surprendre chaque jour pour le restant de nos vies.

Il se leva et l'attira contre lui.

— Bien, parce que je t'aime sincèrement. Et il n'y a qu'une seule chose que je te demanderai quand nous serons mariés.

Une chaleur éclaboussa son visage. Mince, elle était en train de pleurer ! Souriant malgré tout, elle répondit :

— Une vie sexuelle géniale ?

Il sourit.

— À bien y réfléchir, disons deux choses alors, corrigea-t-il en redevenant sérieux. Ne cesse jamais de m'aimer. Compris ?

Macie hocha la tête.

— Compris. Est-ce que tu vas m'embrasser maintenant ?

Il glissa sa main dans ses cheveux humides et l'attira contre lui.

— Oui, m'dame, je vais le faire.

Il posa sa bouche sur la sienne. Intense et doux, passionné et patient, ce baiser était différent de tous ceux qu'ils avaient partagé jusque-là, un pacte les libérant du passé, une promesse du bonheur à venir.

Elle s'écarta et le dévisagea.

— Cela ne dérange pas Sam ? Je veux dire : cela va l'affecter qu'on se marie. Je me dis qu'on devrait peut-être lui en parler d'abord.

— Pourquoi penses-tu que j'ai mis ma fierté de côté pour venir ici ? La petite est presque aussi dingue de toi que son vieux père.

— Cela règle tout, prince charmant. Je veux l'anneau d'or, les clés du royaume et tout le tralala du conte de fées, ajouta-t-elle, le cœur débordant d'amour.

Elle remua de nouveau son pied chaussé du soulier rouge. Était-ce son imagination ou ses orteils… frémissaient ?

— Et les chaussures, bien sûr, ajouta-t-elle.

Il lui adressa un sourire plus éclatant que les panneaux lumineux de Times Square.

— Tu peux dire que je suis vieux jeu, mais j'espère qu'il y a une fin heureuse quelque part là-dedans.

Prenant son visage entre ses mains, Macie sourit. Le passé était le passé, mais les contes de fées parlaient d'avenir.

— Absolument, Ross. Nous vivrons heureux pour toujours ; cela ne fait aucun doute.

Épilogue

L'éternité, alias l'au-delà

— Bravo, bien joué, Macie !

Maddie Mulligan, légende du grand écran, quitta le portail menant à la Terre des yeux et tapa dans ses mains gantées de satin.

— Carlos, mon amour, nous devons fêter cela ! Champagne !

— Champagne ! répéta-t-il en versant l'éternelle bouteille de champagne rosé dans des verres.

Vêtu d'un foulard et d'une superbe veste en velours, ses cheveux noirs coiffés à la brillantine, il traversa la loge, deux flûtes de champagne à la main. Il en tendit une à Maddie et porta un toast.

— Vous avez été splendide, ma chérie. Cecil B. DeMille n'aurait pas fait mieux.

Ils trinquèrent dans un tintement de verres. Ou peut-être ce tintement était-il celui d'une cloche signalant qu'un autre ange avait reçu ses ailes. Difficile à dire. L'au-delà était un endroit animé ; l'acoustique pouvait poser un problème. Tout comme les pertes fréquentes de plumes. Les anges étaient des êtres absolument charmants, mais ils avaient la fâcheuse tendance de perdre leurs plumes.

— Ce sont les chaussures, mon cher, expliqua Maddie en regardant les souliers qu'elle portait.

Comme tous les autres éléments de sa loge, les chaussures à talons rouges étaient l'exacte réplique de celles qu'elle avait eues sur Terre.

— J'ai simplement contribué à les mettre entre de bonnes mains, et sur les bons pieds. Mais nous ne devons pas être suffisants, mon chéri, ajouta-t-elle. Notre travail ne fait que commencer.

Ils échangèrent un regard.

— Les amis ! s'exclamèrent-ils en chœur.

— Il y a Francesca, commença Maddie en réajustant son étole, si chic et si charmante en apparence, et pourtant si triste et si seule.

— Et nous ne devons pas oublier Stefanie, ajouta Carlos.

Macie hocha la tête.

— La pauvre petite vit comme une vraie Cendrillon, et cette horrible marâtre et ses affreuses demi-sœurs l'ont convaincue qu'elle était grosse, et non voluptueuse. La persuader qu'elle est désirable sera difficile, mais je ne doute pas un instant que les chaussures seront à la hauteur.

— Et la pauvre petite Cynthia ? demanda Carlos.

Maddie marqua une pause.

— La pauvre petite… Cynthia ?

— Cynthia Starling, Starr. La directrice éditoriale de cet horrible magazine, précisa-t-il.

Avec ses boucles rousses, ses yeux bleus et sa peau pâle parsemée de taches de rousseur, Starr devait avoir des origines irlandaises. Avec son cœur bien gardé et son caractère grincheux, elle promettait d'être la plus difficile des trois restantes. Elle-même fille d'Erin, même si elle avait perdu son battement de cœur depuis longtemps, Maddie avait un faible pour sa compatriote. Elle sourit.

— Noël approche. S'il y a bien un moment pour réaliser un conte de fées, c'est lors des fêtes de fin d'année.

Carlos leva de nouveau son verre.

— À Starr, à Francesca et à Stefanie. J'ai hâte de voir comment leurs histoires vont se dérouler.

Maddie lui sourit chaleureusement.

— Ce ne sera pas toujours facile, admit-elle en ajustant une plume des ailes de Carlos. Chacune a ses dons et ses forces, mais doit faire face à ses propres défis. Néanmoins, je garde l'espoir que leurs histoires finiront, ou commenceront, comme la nôtre.

À cet instant, les premières notes d'une valse retentirent, et leurs verres de champagne disparurent. Carlos fit une révérence, puis offrit son bras à son épouse. Elle l'accepta en souriant. Virevoltant sur la scène du studio, il murmura :

— C'est ça, être heureux pour toujours. On ne peut pas rêver mieux, n'est-ce pas ?

Maddie approcha ses lèvres des siennes avec un sourire.

— Non, mon amour, on ne peut assurément pas rêver mieux.

M
CENTRAL PARK

The Fell Types are digitally reproduced by Igino Marini.
www.iginomarini.com

Achevé d'imprimer en juillet 2014
Par CPI Brodard & Taupin - La Flèche (France)
N° d'impression : 3005851
Dépôt légal : août 2014
Imprimé en France
81121277-1